The italian project

2a

T. Marin
S. Magnelli

The italian project

2a

An Italian course for English speakers

Pre-intermediate  **B1** COMMON EUROPEAN FRAMEWORK OF REFERENCE

Student's book, workbook and video activities

www.edilingua.it

T. Marin, after having obtained a degree in Italian language studies, was awarded a Masters degree in ITALS (Italian teaching certification) at the University of Ca' Foscari in Venice and has gained much experience in teaching at various Italian language schools. He is the author of numerous educational books: *Progetto italiano 1, 2* and *3* (Student's book), *Progetto italiano Junior* (Student's book), *La Prova orale 1* and *2*, *Primo Ascolto, Ascolto Medio, Ascolto Avanzato, l'Intermedio in tasca, Vocabolario Visuale* and *Vocabolario Visuale - Quaderno degli esercizi* and coauthor of *Nuovo Progetto italiano Video*. He has held numerous seminars and trained teachers in over 30 countries.

S. Magnelli teaches Italian Language and Literature at the Italian Language Department at the University of Aristotle in Salonica. He has been in charge of teaching Italian as a foreign language since 1979; he has collaborated with the Italian Cultural Institute of Salonica, whose courses he taught until 1986. Since then he has been in charge of education planning of Linguistic Institutes in the field of Italian as a foreign language. He is the author of the *Progetto italiano 1*, and *2* workbooks.

The authors and editors would like to thank their many colleagues whose precious observations have contributed to the improvements of this new edition.
They also sincerely thank their teacher-friends who examined and tested the material in the classroom and indicated the definitive form.
Lastly, special thanks to the editors and graphic artists of the publishing company for their utmost commitment.

to my daughter
T. M.

© **Copyright edizioni Edilingua**
Headquarters
Via Paolo Emilio, 28 00192 Rome, Italy
www.edilingua.it
info@edilingua.it

Depot and Distribution Centre
Moroianni Street, 65 12133 Athens, Greece
Tel. +30 210 57.33.900
Fax +30 210 57.58.903

1st edition: July 2010
ISBN: 978-960-693-021-8
Editing: A. Bidetti, L. Piccolo, M. Dominici
Collaborators: M. G. Tommasini
Photographs: M. Diaco, T. Marin
Layout: Edilingua
Illustrations: M. Valenti, L. Sabbatini
Recordings: *Networks* srl, Milano

Everything man does has an impact on the environment. We at Edilingua are convinced that our planets' future depends on every single one of us. "**The Earth needs your... HELP!**" is a small but constant sensibilization campaign aimed at students: each book is an invitation to reflect on what we all can do to save energy and reduce CO2 emission! Learn more on what we do on our website.

The authors would appreciate any suggestions, remarks or comments about these books from colleagues (to be sent to redazione@edilingua.it)

Foreword

Encouraged by how well the first edition of *The Italian Project 1* was received, we herewith propose *The Italian Project 2*, a book that is more up to date and complete, the fruit of a carefully thought out and accurate revision, made possible thanks to the precious feedback of so many colleagues that have used the book. This New Edition takes into account the requirements borne by the latest theories and the reality that the Common European Framework of Reference for Languages and Italian certifications have brought. All this by taking into account all previous approaches and methods which have contributed to language teaching.

Modern language, communicative situations enriched with spontaneity and naturalness, systematic work on the four skills, presentation of Italian reality through passages aimed at familiarising students with culture and civilization of the so-called *Belpaese*, articles taken from the biggest daily Italian newspapers, greater use of authentic material, modern and appealing layout make *The Italian Project 2* a balanced teaching tool that is efficient and easy to use. A course book that is lighter in the first units in order to make the passage from elementary to an intermediate level more natural, thanks also to review activities that reintroduce some points from *The Italian Project 1*.

You will note that the entire *Student's book* constantly alternates communicative and grammar elements with the goal of continually refreshing the class's interest as well as the rhythm of the lesson through brief and motivating activities. At the same time, an attempt has been made to simplify grammar, letting the student simply discover it, and then put it into practice through various communicative activities. Activities that put the student at the centre of the lesson, making him or her the main character of a "film" in which we teachers are the directors. Here, *The Italian Project 2* could be seen as the script on which you base your "film"...

The New Edition

The Italian Project 2 is even more modern from a methodological standpoint, more communicative and more inductive: the student is constantly stimulated to discover new grammar elements. Each unit has been subdivided into sections for easy lesson organization. Other changes involve grammar contents: some forms have been moved to the Appendix. Another important novelty are the pages with which each unit in the *Student's book* has been enriched: an initial page of preliminary activities (*Per cominciare...*) and a final page with brief exercises (*Autovalutazione*). Furthermore, there are authentic audio recordings and more oral comprehension activities; while dialogues, recorded by professional actors, are more natural, spontaneous and shorter. Another novelty are the authentic interviews that focus on unit topics. There is more coherence between the *Student's book* vocabulary and that of the *Workbook*, which has shorter activities that are more varied in addition to new unit exams. The presence of an educational game, like snakes and ladders, confirms that not even the playful aspect is neglected. The illustrations have been renewed with new photographs that are more natural and with fun drawings. Finally, in order to help teachers make the best of our latest teaching tool, *Nuovo Progetto italiano Video 2*, we have enriched this edition with a section of Video Activities, motivating exercises on the *Episodes* that refer to each unit.

Unit structure (for more suggestions see the *Guida per l'insegnante*)

- The introductory page for each unit (*Per cominciare...*) aims to create that vital initial motivation in students through various techniques of reflection and emotional involvement, listening and pre-listening.
- In the first section of the unit, the student reads and listens to recordings and checks his/her ideas given in previous activities. This attempt to understand the context leads to an unconscious global understanding of new elements. Some introductory dialogues are presented in a more motivating way through use of different typologies in order to make the student more active during listening.
- The introductory dialogue is often followed by an activity which analyses communicative elements (common and idiomatic expressions), in which the student is invited to discover in context.
- Afterwards, students try to insert the words given (verbs, pronouns, prepositions, etc) into a dialogue that is similar but not identical to the introductory one. They work, therefore, on the meaning (necessary condition, according to Krashen theories, to achieve true acquisition) and unconsciously discover the structures. A brief summary, preferably done at home, represents the final phase of this reflection on the passage.
- At this point, the students, alone or in pairs, start to reflect on the new grammar phenomena seeking to answer simple questions and complete the summary table with the missing forms. Immediately afterwards, they try to apply the rules just encountered by doing simple oral activity exercises. A small reminder indicates the exercises to be done in writing in the *Workbook*, at a later phase and preferably at home.

- Communicative elements are presented through brief dialogues or inductive activities and then synthesized into easily consultable tables. The *role-plays* that follow can be done both in pairs in front of the class or in various pairs of couples at the same time. In both cases the objective is the use of new elements and a spontaneous expression which leads to the desired language autonomy. Each intervention by the teacher, therefore, must aim to act out the dialogue and not for linguistic accuracy. Regarding the latter, there could be an intervention in a second phase and in an impersonal and indirect way.
- The passages of *Conosciamo l'Italia* can also be used as brief written comprehension tests, to introduce new vocabulary and, naturally, to present various aspects of modern Italian life. They can also be assigned as homework.
- The unit closes with the *Autovalutazione* (*Self-evaluation*) page which includes brief activities of mostly communicative and vocabulary elements of the unit itself, just like the previous one. The students have answer keys at their disposal, but not on the same page, and they must be encouraged to do this activity not as the usual test, but as an autonomous revision.

The Italian Project 2a

This edition also includes, in the same volume, the Workbook, Grammar Notes in English (in addition to the in depth information of the Grammar Appendix) as well as the Glossary (with the translation of the book's vocabulary, including passages). We believe that the latter is a particularly useful tool, in that it gathers all the words and expressions subdivided by unit.

The CD-ROM

The Italian Project is probably the only Italian course book that includes an interactive CD-ROM without additional cost! The CD-ROM of *Nuovo Progetto italiano 2*, an innovative multi-medial support that completes and enriches the paper material, gives many additional practice hours. Furthermore, thanks to its high level of interactivity and consequently to a more active and autonomous study, the student is constantly motivated. The interactive CD-ROM offers the possibility of choosing either independent or guided study; the *Unità intere* are similar but not identical to those in the book in order to avoid demotivation. The student may also follow the content of the manual for the audio recordings (all the book's recordings), grammatical phenomena and communicative elements and of civilization. The proposed *Esercizi Extra* are completely new with regard to the *Workbook*. For each activity done the student receives a positive and encouraging feedback and has the possibility to see the solutions. At any moment, the student can print a report card. Moreover, thanks to the new "rec" function present in the latest 2.0 version of the CD-ROM, reviewed and compatible with both Windows and Macintosh, the student has the possibility to record and listen to his own voice, improving in this way his pronunciation and intonation.

Extra materials

The Italian Project 2, as in part we have already seen, is completed by a series of extra materials (Video, interactive CD-ROM, Undici Racconti), many of which are freely available online (www.edilingua.it) for download (Teacher's guide, with practical ideas and suggestions as well as valuable photocopiable material, Test di progresso, Online glossary, Extra activities and games, Online activities, which are linked at the end of each unit).

Buon lavoro!
T. Marin

Symbol key

Pair work Communicative situations *Role-play* Free oral production Written production

Listen to recording nr. 12 of the audio CD or the CD-ROM

Do exercise 10 in the *Workbook*

Go to www.edilingua.it/progetto and do the online activities

1 Comprensione e comunicazione

(Glossary on page 168)

 a. Ascoltate una prima volta e prendete appunti. Ascoltate di nuovo e abbinate le frasi alle funzioni comunicative.

|1| a. chiedere un parere

☐ b. esprimere un desiderio

☐ c. chiedere un favore

☐ d. rifiutare la collaborazione

☐ e. esprimere rammarico

☐ f. esprimere accordo

☐ g. chiedere informazioni

☐ h. invitare

b. Scrivete una vostra frase con le espressioni che ricordate.

....

....

2 Grammatica. Completate le frasi con i verbi al tempo e modo opportuni.

1. Se non riuscite a svolgere correttamente l'esercizio, *(fare)* .... bene a ripassare la lezione di ieri.

2. I miei genitori *(conoscersi)* .... al matrimonio del cugino di mia madre.

3. Sabato scorso, all'inaugurazione della mostra su Leonardo *(esserci)* .... tantissima gente.

4. Per favore Paolo, *(darmi)* .... una mano a spostare questo divano!

5. Scusami, *(esprimersi)* .... male, non volevo offenderti.

6. Quando sono arrivato alla fermata, l'autobus *(partire)* .... da poco.

7. Martina e Alessandro *(rimanere)* .... a casa, preferiscono guardare il Festival di Sanremo!

8. Se passo l'esame, *(essere)* .... il primo a saperlo: mi hai aiutato così tanto!

3 Produzione orale

Lavorate in coppia. Fatevi delle domande e raccontatevi a vicenda come e dove avete trascorso le ultime vacanze. In seguito, ognuno di voi può riferire brevemente alla classe ciò che ha fatto il compagno.

4 Comunicazione. Cosa direste nelle seguenti situazioni? Rispondete oralmente.

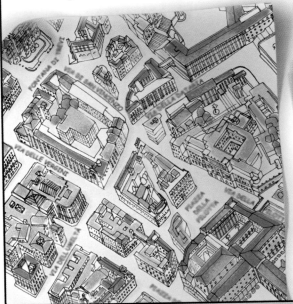

1. Hai invitato un amico a casa. Spiegagli come può arrivare a casa tua.

2. Chiedi a un amico i suoi progetti per le prossime vacanze estive.

3. Sei al supermercato. Cosa dici per comprare il formaggio parmigiano?

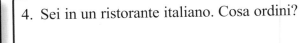

4. Sei in un ristorante italiano. Cosa ordini?

5 Produzione scritta

Scrivete un'e-mail al vostro nuovo insegnante per raccontare in breve *(50-60 parole)* il precedente anno/livello/corso di italiano, cioè prima di cominciare a usare questo libro. Che cosa vi è piaciuto di più e cosa di meno, cosa avete trovato più difficile, com'erano i compagni e così via.

6 Lessico

 a. In coppia completate con le parole richieste e confrontate le risposte con i compagni di classe.

2 generi cinematografici: ...., ...

2 feste: ...., ...

3 stanze di una casa: ...., ..., ...

1 stagione e *2* mesi: ...., ..., ...

b. Abbinate le parole alle immagini corrispondenti.

1. pentola a pressione   2. formaggio   3. pantaloni   4. divano   5. penne

6. farfalle   7. camicia   8. caffè   9. latte   10. vestito

7 Grammatica. Completate il testo con i pronomi e le preposizioni.

Sabato pomeriggio sono andata ....(1) centro commerciale con i miei fratellini, Viola e Renato. Non è stata una buona idea, però. Viola ....(2) un certo punto doveva andare in bagno, così ho chiesto a Renato di aspettarci e ....(3) ho accompagnata. Quando siamo tornate, Renato stava piangendo perché un altro bambino ....(4) aveva preso il cappello. La madre, per convincere il figlio a restituirlo a mio fratello, ...(5) ha detto: "Adesso basta, rida.........................(6) il cappello, per te ne compriamo un altro". ....(7) quel punto Renato mi ha detto: "Anch'io voglio un cappello nuovo!". E, ovviamente, si è fatta sentire anche Viola: ".........................(8) voglio anch'io!". Io ho risposto: "Non ....(9) compro niente!". Loro hanno cominciato ....(10) piangere e io per non sentirli ....(11) ho dovuti accontentare. Mia madre non ....(12) ha neanche restituito i soldi, dice che la colpa è mia anche perché avevo insistito tanto per portarli con me! Beh... in fondo ha ragione!

8 Comunicazione. Cosa direste in queste situazioni? Rispondete per iscritto e/o oralmente.

1. Sei con un amico a Firenze e volete fare una foto insieme. Chiedi aiuto a un passante.

2. Sei in un negozio di abbigliamento. Cosa dici per comprare una maglietta?

3. Sei alla stazione. Vuoi andare da Roma a Milano e ritornare. Cosa dici all'impiegata della biglietteria?

4. Entri in un bar. Vuoi prendere un caffè. Che cosa chiedi al barista?

Verificate le vostre risposte a pagina 154 e... benvenuti in *The Italian Project 2a*!

Esami... niente stress!

Per cominciare...

1 Osservate le immagini e scambiatevi idee: quali di queste materie ritenete più interessanti e quali più difficili?

2 Ascoltate una prima volta il dialogo: di quale o di quali materie si parla?

3 Ascoltate di nuovo e indicate le affermazioni veramente presenti.

1. ma chi grida così?
2. ti volevo chiedere
3. ti servono i miei appunti?
4. te li darei volentieri
5. adesso come faccio?
6. magari te li può prestare lei
7. avevo appena cominciato a sfogliarli
8. sei un tipo romantico
9. me li potresti prestare?
10. non ho tempo di fotocopiarle

In this unit... (Glossary on page 168)

1. ...we learn how to say sorry and how to reply when someone says sorry, to express surprise and disbelief, to reassure someone, to compliment someone, to express displeasure
2. ...we get to know *pronomi combinati* and *interrogativi*
3. ...we find information about schools and universities in Italy

A   Mi servono i tuoi appunti!

1   **Leggete e ascoltate i due dialoghi. Confermate le vostre risposte all'attività precedente.**

Lorenzo:	Claudio, Claudio!
Claudio:	Oh, che c'è? Perché gridi così?
Lorenzo:	Finalmente ti trovo. Senti... ti volevo chiedere... tu l'esame di letteratura l'hai superato, vero?
Claudio:	Sì, ho preso 30.
Lorenzo:	Caspita! Bravo! Allora, mi servono assolutamente i tuoi appunti!
Claudio:	Non ci credo, anche tu! Guarda, te li avrei dati volentieri, solo che arrivi un po' tardi! Mi ha chiamato ieri Valeria per chiedermi la stessa cosa, i miei appunti. Glieli ho dati proprio stamattina!
Lorenzo:	Accidenti! E adesso come faccio?
Claudio:	Scusami, me lo potevi dire prima, no? Perché non la chiami? Magari te li può prestare lei.
Lorenzo:	Dici? Ok... credo di avere il suo numero. Comunque, grazie lo stesso.

...lo stesso pomeriggio...

Valeria:	Pronto!
Lorenzo:	Ciao, Valeria, sono Lorenzo.
Valeria:	...Lorenzo? Ah ciao, come va?
Lorenzo:	Bene, grazie. Claudio mi ha detto che i suoi appunti ce li hai tu. Me li potresti dare per un po'?
Valeria:	...Veramente... avevo appena cominciato a sfogliarli!
Lorenzo:	Hai ragione, ma a me serve soprattutto la parte sul Romanticismo.
Valeria:	Ah, se non sbaglio, sono una trentina di pagine. Queste te le posso prestare. Però, mi raccomando, mi servono presto.
Lorenzo:	Non ti preoccupare, giusto il tempo di fotocopiarle! Te le darò subito indietro. Grazie mille!

2 **Leggete di nuovo e rispondete alle domande.**

1. Di che cosa ha bisogno Lorenzo?
2. Perché si rivolge a Claudio?
3. Perché poi si deve rivolgere a Valeria?
4. Come si risolve la situazione?

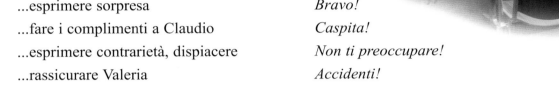

3 **Abbinate le due colonne. Cosa dice Lorenzo per...**

...esprimere sorpresa   *Bravo!*

...fare i complimenti a Claudio   *Caspita!*

...esprimere contrarietà, dispiacere   *Non ti preoccupare!*

...rassicurare Valeria   *Accidenti!*

4 **Il giorno dopo Lorenzo incontra all'università una sua amica. Completate il loro dialogo con le parole date.**

Lorenzo:	Siamo fortunati!
Beatrice:	Perché, cos'è successo?
Lorenzo:	Finalmente sono riuscito a trovare gli appunti di letteratura che cercavo.
Beatrice:	Che bello! Chi (1).............................?
Lorenzo:	(2)............................. oggi Valeria. Sono quelli di Claudio. Ma (3)............................. che lui ha preso 30?
Beatrice:	Davvero? Non lo sapevo. Io mi accontenterei anche di un 25! Comunque, li darai anche a me, no?
Lorenzo:	Veramente Valeria non mi può dare tutto. (4)............................. solo le pagine sul Romanticismo. Queste certo che (5)............................. . Anzi, faccio una copia anche per te.
Beatrice:	Benissimo! Sai, anche Sabrina avrebbe bisogno di questi appunti. Ne potresti fare una anche per lei?
Lorenzo:	Va bene. Alla fine mi sa che tutti studieranno sugli appunti di Claudio! Al posto suo io (6).............................!!

lo sai   *te li ha dati*   *li pubblicherei*   *Me li presterà*   *te le darò*   *Mi porterà*

5 **Scrivete un breve riassunto *(40-50 parole)* del dialogo introduttivo.**

6   Nel dialogo introduttivo abbiamo visto le frasi che seguono. In piccoli gruppi spiegate brevemente, come nell'esempio, a che cosa si riferiscono i pronomi in nero e in blu.

(Claudio) **te li** avrei dati volentieri   *a te, gli appunti*

(Claudio) **Glieli** ho dati proprio stamattina   ....

(Lorenzo) **Me li** potresti dare   ....

(Valeria) Queste **te le** posso prestare   ....

7   Avete notato come si trasformano i pronomi indiretti quando si uniscono a quelli diretti?
Adesso, sempre in gruppi, completate la tabella. Se volete rivedere i pronomi diretti e indiretti consultate l'Appendice grammaticale a pagina 151.

I pronomi combinati

Eva, <u>mi</u> dai un attimo <u>il tuo dizionario</u>?   *(mi+lo)*   ⇨   **Me lo** dai un attimo?

<u>Ti</u> devo portare <u>le riviste</u> stasera?   *(ti+le)*   ⇨   .... devo portare stasera?

Presterò <u>a Luigi</u> <u>il mio motorino</u>.   *(gli+lo)*   ⇨   **Glielo** presterò.

Chiederò <u>a Elena</u> <u>gli appunti</u>.   *(le+li)*   ⇨   **Glieli** chiederò.

<u>Ci</u> puoi raccontare <u>la trama</u> del film?   *(ci+la)*   ⇨   **Ce la** puoi raccontare?

<u>Vi</u> consiglio <u>il tiramisù</u>.   *(vi+lo)*   ⇨   .... consiglio.

<u>A Gianni e Luca</u> regalerò <u>questi libri</u>.   *(gli+li)*   ⇨   **Glieli** regalerò.

Professore, <u>Le</u> faccio vedere <u>le foto</u>?   *(Le+le)*   ⇨   **Gliele** faccio vedere?

<u>Mi</u> puoi parlare <u>dei tuoi progetti</u>?   *(mi+ne)*   ⇨   **Me ne** puoi parlare?

<u>Gli</u> darò due copie <u>del libro</u>.   *(gli+ne)*   ⇨   **Gliene** darò due copie.

Note: As you can see *pronomi indiretti* in the third person (*gli/le/Le*) come together at the *pronome diretto* and, with the addition of an *-e-*, form with it a single word (*glielo, gliela, glieli, gliele*).

---

8   Rispondete alle domande secondo l'esempio.

> Mi dai il tuo numero di telefono? ⇨ *Sì, te lo do subito.*

1. Oggi mi offri tu il caffè, va bene?
2. Per favore, dai tu questa lettera a Luca?
3. Quando ci presenterai i tuoi amici?
4. Davvero? Regalerai a Sara un anello d'oro?
5. Quante copie degli appunti ti servono?
6. Quando mi fai vedere la tua nuova casa?

 1 - 7

B   Scusami!

1   Ascoltate i mini dialoghi e abbinateli ai disegni. Attenzione, ci sono due immagini in più!

2   Ascoltate di nuovo e completate la tabella che segue.

Scusarsi	Rispondere alle scuse
.... del ritardo!	...........................!
Chiedo ....!	...........................!
........................., signora! (formale)	...........................!
Mi scuso del comportamento...!	Non fa niente!
Scusa il ritardo!	Si figuri! (formale)
Ti / Le chiedo scusa!	Ma che dici!

3   Sei *A*: scusati con *B* nelle seguenti situazioni: Sei *B*: rispondi ad *A*.

- *sull'autobus gli/le calpesti un piede*
- *hai dimenticato il suo compleanno*
- *hai perso un libro che ti aveva prestato*
- *gli/le dai un'informazione sbagliata*
- *camminando distratto per strada gli/le vai addosso*

 8

4 Leggete il dialogo tra Lorenzo e la professoressa durante l'esame di letteratura italiana e indicate le affermazioni corrette.

Prof.ssa Levi:	Allora, signor Baretti, questa è la seconda volta che sostiene l'esame, vero?
Lorenzo:	Sì.
Prof.ssa Levi:	D'accordo... Questa volta sono sicura che andrà meglio. Dunque... poeti minori dell'Ottocento...
Lorenzo:	Eeeh..., professoressa, mi scusi, ma questo capitolo io non l'ho studiato affatto!
Prof.ssa Levi:	Ma come non l'ha studiato? Ne abbiamo parlato più volte.
Lorenzo:	Davvero?! Non me l'ha detto nessuno!
Prof.ssa Levi:	Ma secondo Lei, chi glielo avrebbe dovuto dire, signor Baretti?! Durante le lezioni Lei dov'era? ...Andiamo avanti: ...Giovanni Verga.
Lorenzo:	Verga... certo... Verga è uno scrittore che... mmh...
Prof.ssa Levi:	Verga è uno scrittore, questo è sicuro! Ora mi dirà che nessuno Le ha detto che Verga era nel programma!
Lorenzo:	Ma... professoressa, veramente, nessuno me li ha fatti notare questi capitoli!
Prof.ssa Levi:	Nessuno glieli ha fatti notare?! Signor Baretti, forse è meglio che ci vediamo quando sarà più preparato... o meglio più informato!
Lorenzo:	Va bene... Buongiorno e grazie!
Prof.ssa Levi:	ArrivederLa!

1. Lorenzo non ha potuto rispondere alle domande perché:

   a. erano veramente difficili
   b. nessuno gliene aveva parlato
   c. non le ha capite

2. La professoressa Levi ha mandato via Lorenzo perché:

   a. non frequentava le sue lezioni
   b. non aveva studiato
   c. ha tentato di copiare

3. Lorenzo non sapeva parlare di Giovanni Verga perché:

   a. non era nel programma
   b. non è uno scrittore importante
   c. nessuno gliel'aveva fatto notare

5 Osservate queste frasi del dialogo e, in particolare, i participi passati. Che cosa notate?

...non me l'ha detto nessuno   *...nessuno me li ha fatti notare questi capitoli.*

6 Completate la tabella.

I pronomi combinati nei tempi composti

-Chi l'ha detto a Flora?
-**Gliel'ha** detto suo fratello.

-Chi vi ha regalato questa cornice?
-**Ce l'ha** regalat.... mio cugino.

-Quanti libri gli hai prestato?
-**Gliene ho** prestati tre.

-Quando ti hanno portato questi dolci?
-**Me li hanno** portat.... ieri.

-Gianni ti ha presentato le sue amiche?
-Sì, **me le ha** presentate tempo fa.

-Quante e-mail ti hanno spedito?
-**Me ne hanno** spedite parecchie.

As you can see, the *participio passato* agrees with the *pronome diretto*
that precedes it even when it is part of a *pronome combinato*.

7 Rispondete alle domande.

1. Quanti francobolli ti sono serviti? *(tre)*
2. Chi ha dato il permesso al piccolo? *(io)*
3. Chi ha dato la macchina a Tommaso? *(suo padre)*
4. Quando ti ha restituito i soldi che ti doveva? *(stamattina)*
5. Vi hanno portato le sedie che avevate ordinato? *(solo due)*

9 - 12

C Incredibile!

1 Ascoltate il dialogo. Secondo voi, qual è la notizia più importante?

- Finalmente a casa dopo un mese a New York! Allora, sorellina, cos'è successo nella nostra piccola città?
- Vediamo... ah, Marianna si sposa.
- Davvero?! Credevo che non si sarebbe sposata mai. Poi?
- Eh... Riccardo ha comprato una *Ferrari*!
- Possibile?! Ma dove cavolo li trova i soldi? Altro?
- Sì... Marco e Raffaella si sono lasciati!
- Incredibile! Ma chi l'avrebbe mai detto?
- E non solo: lei si è messa con Alberto.
- Non ci credo! Ma guarda quante notizie.
- Cos'altro? ...Ah, zia Maria ha vinto al totocalcio!
- Ma va! Domani le farò visita!
- Ah, un'ultima cosa: il tuo ex si è fidanzato!
- Non me lo dire! Va be', tanto ormai non me ne frega più niente!
- Vedi quante novità nella nostra piccola città?
- Ma quale piccola? Qua è peggio di New York!!!

2 Cercate di ricordare quali di queste espressioni avete ascoltato e letto!

<table>
<tr><th colspan="2">sorpresa</th><th colspan="2">incredulità</th></tr>
<tr><td>☐ Davvero?!</td><td>☐ Ma va!</td><td>☐ Non ci credo!</td><td>☐ Incredibile!</td></tr>
<tr><td>☐ Scherzi?!</td><td>☐ Chi l'avrebbe mai detto?</td><td>☐ Non me lo dire!</td><td>☐ No!</td></tr>
<tr><td>☐ Caspita!</td><td>☐ Possibile?!</td><td>☐ Non è vero!</td><td>☐ Impossibile!</td></tr>
</table>

Role-play

3 Sei A: riferisci a B le notizie che seguono. Dove necessario puoi usare espressioni come "hai sentito che...?", "lo sai che...?", "hai saputo che...?" ecc.

Sei B: reagisci alle notizie che ti riporta A.

- *la vostra squadra ha perso di nuovo*
- *una vostra conoscente ha avuto un incidente*
- *un'amica si è finalmente laureata*
- *i professori faranno sciopero*
- *la vostra cantante preferita ha annullato il concerto nella vostra città*

Ancora una vittoria per la squadra torinese!
Juventus-Parma 2-0

Scuola: scioperi in vista
Esami a rischio!

➤ 13

4 Provate a scrivere due mini dialoghi *(50-60 parole)* usando le espressioni del punto 2.

D Quante domande!

1 Ascoltate le domande. Potete pensare a possibili risposte?

- *Chi* sono quei tipi che ci guardano?

chi? - Di *chi* è questa penna?

- *Chi* è quella ragazza?

- *Quali* città vorresti visitare?

- Tra queste camicie *quale* preferisci?

quale? quali?

- *Qual* è la verità?

- *Che cosa* facciamo oggi?

che? che cosa? cosa?

- *Che* giorno è oggi?

- Di *che cosa* ti occupi?

- *Cosa* prendi?

- *Quante* persone c'erano?

- *Quanto* ti è costato?

quanto?

- *Quanti* anni ha?

2 Completate le domande con gli interrogativi del punto precedente.

1. .... hai regalato a tuo fratello?
2. Per .... motivo impari l'italiano?
3. .... era al telefono?
4. Da .... dipende se vieni o no?
5. .... è stato il momento più importante della tua vita?
6. Da .... tempo studi l'italiano?

➡ 14 - 16

3 A coppie discutete di un esame/periodo della scuola che è stato particolarmente significativo. Poi riferite alla classe se le vostre esperienze sono state simili o diverse.

4 Un'esperienza comune per molti italiani sono gli "esami di maturità": un periodo importante perché coincide con la fine della scuola. Completate i brevi testi, il ricordo che hanno dell'esame quattro noti personaggi, con le forme corrette dei verbi tra parentesi.

"Ho fatto tre volte la terza superiore"

SILVIO MUCCINO (attore)

Ho preso 80. Non (1. studiare) .... ma sono stato molto fortunato all'orale!!! Ho fatto una tesina video un po' commovente e li (2. convincere) .... tutti. Il ricordo che (3. avere) ....? È stato un incubo, me lo (4. sognare) .... ancora la notte. Per quanto riguarda la preparazione, che dire... (5. essere) .... un mese terribile.

VALERIO MASTANDREA (attore)

Non ricordo molto degli esami, (6. passare) .... troppi anni, ma ricordo che ho consegnato il compito di matematica in bianco. Un mio compagno mi (7. passare) .... le soluzioni, ma io non (8. volere) .... copiare perché tanto era inutile. Quando si è sposato, ho fatto incorniciare il foglietto che mi (9. passare) .... e quello è stato il mio regalo di nozze.

LINUS (d.j.)

Io ho fatto tre volte la terza superiore, perché in quegli anni cominciavo a lavorare alla radio e quindi (10. essere) .... uno studente molto distratto. Comunque quando ho fatto gli esami di maturità ero più distaccato rispetto ai miei compagni. In pratica (11. limitarsi) .... a studiare quello che (12. pensare) .... mi avrebbero chiesto. A tutti i ragazzi auguro comunque di rendersi conto che dall'esame non (13. dipendere) .... la loro vita.

CARLO LUCARELLI (scrittore)

Ricordo che c'era una specie di terrorismo nell'aria durante gli esami di maturità: ti convincevano che (14. dovere) .... sapere tutto e che comunque ti (15. chiedere) .... ciò che non sapevi. (16. passare) .... l'ultimo mese e mezzo a studiare e basta. Alla fine ero davvero terrorizzato ma non (17. avere) .... con me nessun portafortuna, non come un mio amico che ha deciso di indossare la camicia con cui (18. sostenere) .... l'esame di terza media!

adattato da *Panorama*

5   **Rispondete alle domande.**

1. Quante volte ha sostenuto gli esami Linus?
2. Quanto tempo ha studiato per la maturità Silvio Muccino?
3. Che cosa ha regalato Valerio Mastandrea al suo vecchio compagno di scuola per il suo matrimonio?
4. Perché Carlo Lucarelli aveva paura degli esami?

6   **Ancora domande! In coppia, scegliete l'interrogativo giusto tra quelli dati.**

1. Io l'ho vista ieri mattina, tu *quando / quanto* l'hai sentita?
2. Di *dove / quando* è Mauro?
3. Ma *perché / quanto* siete partiti di nascosto?
4. *Dove / Quando* pensi di venire?
5. Sai *dove / perché* sono i miei occhiali?

7   **Completate le domande con tutti gli interrogativi visti in questa unità.**

1. .... volte ci siete andati?
2. Tu .... l'hai saputo?
3. Amore, dimmi: .... hai nascosto i dolci?
4. Ma .... avete discusso per tre ore?
5. Non è vero, ... te l'ha detto?
6. Per .... motivo non hai accettato?

17 - 18

E   Vocabolario e abilità

1   **Completate le frasi con queste parole:** dipartimento, iscrizione, frequenza, prove, esami di ammissione, mensa

1. In alcune facoltà la .... è obbligatoria.
2. In Italia l'ingresso in molte università è libero: non sono previsti ....
3. Nella Facoltà di Lettere e Filosofia c'è il .... di Italianistica.
4. Gli esami spesso comprendono sia .... scritte che orali.
5. Anche alle università statali bisogna pagare delle tasse di ....
6. Gli studenti mangiano spesso alla ....

2 In quale facoltà bisogna laurearsi per diventare...? In coppia, prima completate le professioni e poi abbinatele, come nell'esempio, alle facoltà. Attenzione: queste ultime sono di più!

Medicina ..6..

Odontoiatria .....

Ingegneria .....

Giurisprudenza .....

Architettura .....

Psicologia .....

Lingue .....

Lettere .....

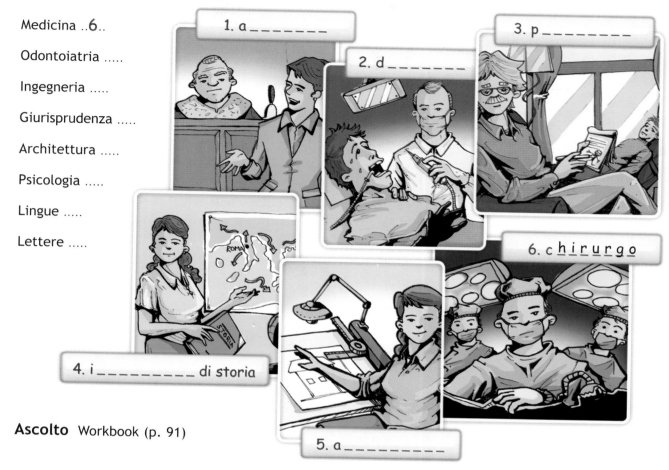

1. a _ _ _ _ _ _ _

2. d _ _ _ _ _ _ _

3. p _ _ _ _ _ _ _

4. i _ _ _ _ _ _ _ _ _ di storia

5. a _ _ _ _ _ _ _ _ _

6. c h<u>i r u r g</u>o

3 **Ascolto** Workbook (p. 91)

4 **Situazioni**

1. *A* è uno studente interessato a una vacanza-studio in Italia: a pagina 155 troverà alcune possibili domande da fare; *B* lavora nella segreteria di un'organizzazione che si occupa di questo e a pagina 156 troverà materiale informativo per rispondere ad *A*.

2. Pensi di andare a studiare in un'altra città poiché lì la facoltà che hai scelto è considerata una delle migliori. Il problema è che il/la tuo/a ragazzo/a (*B*) non ne vuole sapere. Tu (*A*) cerchi di spiegargli/le che non si deve preoccupare e che la distanza non mette a rischio la vostra relazione.

5 **Scriviamo**

Scrivi una lettera ad un amico italiano per annunciargli la tua intenzione di andare a studiare a Milano spiegandogli i motivi: alto livello della facoltà scelta, amore per l'Italia e così via. In più, chiedi informazioni sulla vita studentesca in Italia. *(80-120 parole)*

Test finale

19

La scuola...

I genitori italiani possono portare i loro figli all'**asilo nido** e poi, a 3 anni, alla **scuola materna**. L'iscrizione non è obbligatoria.

La *scuola dell'obbligo* comincia a 6 anni con la **scuola elementare** che dura 5 anni: i bambini imparano a leggere e a scrivere, apprendono nozioni di cultura generale e cominciano a studiare una lingua straniera (inglese o francese).

I guai*... cominciano con la **scuola media**. Ormai non ci sono più maestri, ma un insegnante per ogni materia. Alla fine del terzo anno, dopo un esame, gli alunni ottengono la *licenza media*.

Chi decide di continuare gli studi può scegliere tra diversi tipi di **scuola media superiore**: *liceo classico, scientifico, linguistico, artistico, istituti tecnici* e *scuole professionali*. La durata degli studi è di 4 o 5 anni e alla fine c'è l'*esame di maturità* che prevede prove scritte e orali sulle materie dell'ultimo anno. Chi le supera (la quasi totalità degli studenti) ottiene il *diploma di maturità*.

1. La scuola dell'obbligo:
   - ☐ a. comprende la scuola superiore
   - ☐ b. comprende la scuola materna
   - ☐ c. comincia subito dopo la scuola materna
   - ☐ d. dura 5 anni

2. La scuola media:
   - ☐ a. dura quanto quella elementare
   - ☐ b. dura quanto quella superiore
   - ☐ c. prevede un esame alla fine dell'ultimo anno
   - ☐ d. prevede videolezioni di lingue straniere

3. La scuola superiore:
   - ☐ a. non è soltanto di un tipo
   - ☐ b. dura 3 anni
   - ☐ c. rende gli studenti più maturi
   - ☐ d. prevede un esame orale finale

...e l'università italiana

Tutti gli studenti, in possesso di diploma di scuola superiore, possono iscriversi a una facoltà di loro scelta, senza esami di ammissione. Per le facoltà a numero chiuso, invece, come ad esempio Odontoiatria e Medicina, è obbligatorio il superamento di una prova scritta.

1000 — 1ª media
965 — Licenza media
891 — 1ª superiore
654 — Diploma superiori
468 — 1° università
127 — Laurea

CHI STUDIA MENO STUDIA MEGLIO

Durata media degli studi universitari nella Ue

Non sempre chi frequenta di più ottiene risultati migliori. Anzi, secondo i dati forniti da Eurostat i paesi nei quali gli studenti passano più tempo negli atenei sono anche quelli nei quali la qualità dello studio è inferiore. La causa è l'organizzazione più carente che si traduce in una perdita di tempo per gli studenti.

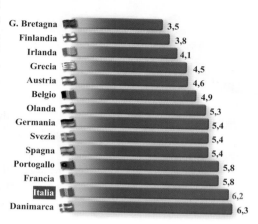

G. Bretagna	3,5
Finlandia	3,8
Irlanda	4,1
Grecia	4,5
Austria	4,6
Belgio	4,9
Olanda	5,3
Germania	5,4
Svezia	5,4
Spagna	5,4
Portogallo	5,8
Francia	5,8
Italia	6,2
Danimarca	6,3

Il libero accesso* agli studi universitari, comunque, crea anche dei problemi: università spesso sovraffollate* e bassa percentuale di laureati (circa il 30%). Ciò significa che molti sono gli studenti iscritti che non riescono a laurearsi e molti sono i cosiddetti "fuori corso", gli studenti cioè che presentano con ritardo la loro *tesi di laurea**. D'altra parte, l'Università italiana, nonostante l'alto livello di preparazione che offre, è un po' staccata dal mondo del lavoro; così anche con una laurea in mano non è facile trovare un'occupazione.

La durata di un corso di laurea varia dai 3 ai 6 anni, a seconda della facoltà. Negli ultimi anni, tuttavia, esiste anche la cosiddetta *laurea breve*, un diploma universitario che si può ottenere in 3 anni, ed è richiesto in specifiche aree professionali. Dopo la laurea esistono *corsi di specializzazione** e *dottorati di ricerca** di alto livello.

La maggior parte delle università italiane sono statali. Gli studenti devono, comunque, pagare le *tasse d'iscrizione* all'inizio di ogni anno accademico, che variano a seconda dell'università e della facoltà. Esistono, inoltre, poche università private, Politecnici, Istituti universitari e le Università per Stranieri di Perugia, di Siena e di Reggio Calabria.

1. Quali sono i vantaggi e gli svantaggi delle università italiane?

2. Ci sono differenze tra il sistema universitario italiano e quello del vostro paese? Parlatene in breve.

Glossary: <u>guaio</u>: trouble; <u>accesso</u>: access; <u>sovraffollato</u>: overcrowded; <u>tesi di laurea</u>: graduation thesis; <u>corso di specializzazione</u>: specialization course; <u>dottorato di ricerca</u>: PhD, doctorate.

L'Università di Bologna è la più antica del mondo. Molte università italiane hanno sede in bellissimi e maestosi palazzi, costruiti cinque o più secoli fa.

Attività online

Autovalutazione
Che cosa ricordate dell'unità 1?

1. Abbinate le frasi.

1. Me lo riporti domani, no?
2. Che classe fai?
3. Scusa, la colpa è tutta mia.
4. Me l'ha detto lui!

a. La seconda superiore.
b. Sì, non ti preoccupare!
c. Incredibile!
d. Non fa niente!

2. Sapete...? Abbinate le due colonne.

1. rispondere a delle scuse
2. esprimere sorpresa
3. esprimere incredulità
4. esprimere dispiacere

a. Non è vero!
b. Peccato!
c. Figurati!
d. Ma va!

3. Rispondete o completate.

1. Un tipo di liceo: ....
2. A che età comincia la scuola elementare? ....
3. Tre interrogativi: ....
4. Le + li: ....

4. Scoprite, in orizzontale e in verticale, le otto parole relative alla scuola e all'università.

T	R	O	L	A	S	M	I	W	A
S	C	A	P	I	T	O	L	O	L
U	C	A	M	M	E	N	S	A	U
D	L	M	A	E	S	T	R	A	N
I	E	B	T	L	O	E	G	T	N
E	T	H	E	A	C	O	R	S	O
Y	T	I	R	M	Y	M	A	N	I
I	E	S	I	E	S	A	F	B	R
U	R	M	A	T	I	S	T	O	A
R	E	L	I	N	G	U	E	E	Z

Verificate le vostre risposte a pagina 154. Siete soddisfatti?

Piazza Grande, Arezzo

Per cominciare...

1 Lavorate in coppia. Abbinate le parole alle foto.

a. carta di credito, b. sportello bancomat,

c. contanti, d. sportello, e. assegno

2 Che rapporto avete con i soldi? In genere, riuscite a risparmiare?

3 Ascoltate il dialogo e indicate le affermazioni giuste.

1. Carla ha voluto aprire un conto corrente
   ☐ a. perché è obbligatorio per gli studenti
   ☐ b. per poter ricevere soldi dai suoi
   ☐ c. anche se non ne aveva bisogno

2. Chi apre questo conto corrente
   ☐ a. ha uno sconto in alcuni negozi
   ☐ b. riceve cd e libri in regalo
   ☐ c. deve fare la fila

In this unit... (Glossary on page 170)

1. ...we learn different ways of asking a question, of writing a formal letter, of answering an ad for work, of writing a Curriculum Vitae
2. ...we learn pronomi relativi, the particular structure of che and cui, the forms stare + gerundio and stare per + infinito
3. ...we find some information about Italian economy and Italian products

A Proprio il conto che mi serviva!

1 Ascoltate di nuovo e verificate le vostre risposte all'attività precedente.

Carla: Ciao, Stefano. Guarda!

Stefano: Oh, ciao. Cos'è?

Carla: Il mio bancomat! Ricordi, quel conto corrente di cui ti parlavo? L'ho finalmente aperto!

Stefano: Ah sì, brava! ...Ma io non ho ancora capito a cosa ti serve un conto, se fra sei mesi andrai via.

Carla: Te l'ho detto, così i miei mi possono mandare i soldi più facilmente... e poi è anche più sicuro tenere i soldi in banca, no?

Stefano: Eh sì, hai ragione. È per questo che sei così contenta?

Carla: Sono contenta perché credo di aver fatto la scelta giusta... almeno l'impiegata con cui ho parlato mi ha convinta. È un nuovo conto corrente bancario pensato apposta per gli studenti, ai quali offre molti vantaggi.

Stefano: Tipo?

Carla: Prima di tutto mi hanno dato questo bancomat con il quale posso evitare le file in banca e fare operazioni per telefono e via Internet. E poi potrò usarlo anche come carta di credito in molti negozi e avrò sconti su libri, cd e anche vestiti!

Stefano: Ah, ecco la ragione principale per cui hai aperto questo conto: lo shopping!

Carla: Spiritoso! Al contrario, l'ho fatto proprio per usare i miei soldi in maniera più intelligente. E dovresti farlo anche tu!

Stefano: Io?! No, cara! E il motivo è che ho già un conto in rosso e una carta di credito che uso troppo!

2   Leggete il dialogo, da soli o in coppia, e mettete in ordine cronologico le affermazioni che seguono.

☐ Carla va in banca.

☐ Carla spiega a Stefano i vantaggi del conto che ha aperto.

☐ Carla apre un conto corrente.

☐ Carla mostra a Stefano il suo bancomat.

☐ L'impiegata dà informazioni a Carla.

☐ Carla dice a Stefano che vuole aprire un conto corrente.

3   Completate il dialogo tra Carla e l'impiegata di banca, scegliendo il pronome corretto.

imp.:   Ha detto che si trova in Italia per un corso di lingua, vero?

Carla: Sì, e il motivo per cui/a cui mi serve un conto è che i miei mi mandano soldi dall'estero. Se non sbaglio, c'è un conto per studenti il quale/di cui ho sentito parlare.

imp.:   Sì, infatti, ce n'è uno la quale/che presenta dei vantaggi per chi studia: prima di tutto ha un tasso d'interesse che/a cui è più alto del solito; secondo, diamo un bancomat con il quale/con la quale può prelevare da un qualsiasi sportello automatico e fare altre operazioni da casa.

Carla: Via internet?

imp.:   Appunto, ma anche per telefono. Infine, il bancomat funziona anche come carta di credito e offre il 10% di sconto sugli acquisti fatti.

Carla: Ah, perfetto! Gli sconti sono una cosa con cui/di cui noi studenti abbiamo davvero bisogno!

4   Rispondete per iscritto *(15-20 parole)* alle domande.

1. Per quali motivi Carla è contenta di aver aperto questo conto corrente? ....
....

2. Qual è, secondo voi, il vantaggio più grande che offre? ....
....

3. Perché a Stefano non interessa aprire un conto corrente? ....
....

5 Lavorate in coppia. Osservate la tabella. C'è qualche differenza tra le prime due frasi (1-2) e le ultime due (3-4)?

Il pronome relativo *che*

1. Il signore **che** parla in tv è un mio professore.
2. Conosci quei ragazzi **che** sono seduti sulle scale?
3. Il libro **che** sto leggendo è molto interessante.
4. Le scarpe **che** vorrei comprare sono troppo care.

As you can see the *pronome relativo che* is invariable and it refers to the subject (examples n. 1 and 2) or the object (examples n. 3 and 4).

In the sentence "Ho incontrato la ragazza di Michele *che* lavora in banca" the *pronome relativo che* could refer to either Michele or to his girlfriend. In these cases the *pronomi* **il quale/la quale** are used mainly to avoid confusion: "Ho incontrato la ragazza di Michele, *la quale* lavora in banca".

Careful: *Questi ragazzi **li** ho incontra**ti** ieri.*
but: *Questi sono i ragazzi **che** ho incontra**to** ieri.*

---

6 Costruite frasi orali secondo l'esempio.

> Luca ha un fratello; si chiama Mauro. (*Luca...*)
> *Luca ha un fratello che si chiama Mauro.*

1. Ho visto un film ieri; il film mi è piaciuto molto. *(Il...)*
2. Ho scoperto una trattoria; la trattoria è veramente buona. *(La...)*
3. Mario mi ha regalato un libro; avevo già letto il libro! *(Mario...)*
4. Penso di comprare una casa; la casa è proprio in centro. *(La...)*
5. Ho mangiato un panino; il panino non era buono. *(Ho...)*

  1 - 3

---

 7 Nel dialogo introduttivo abbiamo visto frasi come "quel conto corrente *di cui* ti parlavo", "l'impiegata *con cui* ho parlato", "questo bancomat *con il quale*". A coppie osservate le frasi che seguono: secondo voi, che differenza c'è tra *cui* e *che*?

I pronomi relativi *cui / il (la) quale*

Sono uscita *con* Luigi. ⇨ L'uomo **con cui** sono uscita è Luigi.
Penso spesso *a* mia madre. ⇨ La persona **a cui** penso spesso è mia madre.
Non sono venuta *per* motivi seri. ⇨ I motivi **per cui** non sono venuta erano seri.
Tra gli invitati c'era anche Marcella. ⇨ C'erano tanti invitati, **tra cui** anche Marcella.
Mi parla spesso *di* una ragazza, Rosa. ⇨ Rosa è la ragazza **di cui** mi parla spesso.

More on the pronoun *cui* in the Appendix on page 151.

---

8 Come abbiamo visto, al contrario di *che*, il pronome relativo *cui* è sempre preceduto da una preposizione semplice. Anche *cui* può essere sostituito da *il quale*, accompagnato dalla preposizione articolata. Completate le frasi.

Il ragazzo **con cui** esci è simpatico. ⇨ ...**con il quale** esci...

La ragazza **di cui** parli si chiama Cinzia? ⇨ .... parli...

Chi sono i ragazzi **a cui** hai dato il tuo numero? ⇨ ...**ai quali** hai dato...

Le ragioni **per cui** ci vado sono due. ⇨ .... ci vado...

9 In base agli esempi visti, formate frasi orali secondo il modello.

Ho molta fiducia <u>in</u> Roberto. *(Roberto è un ragazzo...)*
Roberto è un ragazzo in cui / nel quale ho molta fiducia.

1. Sono nato <u>in</u> una città grande, ma caotica. *(La città...)*
2. Ho prestato dei soldi <u>a</u> un caro amico. *(Il ragazzo...)*
3. Mi preoccupo molto <u>di</u> questo fatto. *(È un fatto...)*
4. <u>Con</u> Gianni e Mario esco molto spesso. *(Gianni e Mario sono gli amici...)*
5. Stasera viene anche Mauro; ti ho parlato spesso <u>di</u> lui. *(Stasera viene anche...)*

4 - 11

B Perché...?

1 Le frasi dei 4 mini dialoghi sono in disordine. Potete abbinare le domande (a-e) alle risposte (1-4)? Di domande ce n'è una in più!

a. Non mi puoi restituire i soldi che ti ho prestato?! E perché no?
b. Per curiosità, per quale motivo hai pagato in contanti?
c. Dimmi una cosa, perché le hai parlato così?
d. Perché mai hai deciso di prendere un altro mutuo?
e. Come mai non hai pagato con la carta di credito?

.... - 1   .... - 2   .... - 3   .... - 4

1. Perché altrimenti non avrei mai finito di costruire la casa.
2. Niente, ...semplicemente in questo periodo sono al verde!
3. Perché non avevo con me la carta di credito.
4. Il fatto è che l'ho già usata troppo questo mese.

2 Ascoltate i mini dialoghi per confermare le vostre risposte e sottolineate le espressioni utilizzate per rivolgere una domanda.

3 Sei *A*: prima annuncia a *B* quanto segue e poi rispondi alle sue domande:

- *hai deciso di aprire una pizzeria*
- *hai deciso di lasciare il tuo lavoro*
- *ti sei lasciato con la tua fidanzata*
- *hai deciso di non usare più carte di credito*
- *hai bisogno di soldi*

Sei *B*: ascolta quello che ti dice *A* e poi chiedi delle spiegazioni.

C   Egregio direttore...

1 Secondo voi, quali sono le differenze tra una lettera amichevole e una formale?

2 Leggete questa lettera e indicate quali delle affermazioni sulla destra sono veramente presenti.

Spettabile Istituto Linguistico "I. Calvino"
Alla cortese attenzione del Direttore

Roma, 6 settembre 20

Egregio Direttore,

in risposta all'annuncio apparso sul vostro sito internet, desidero sottoporre alla Sua attenzione la mia candidatura al posto di insegnante di lingua italiana.
Come vedrà nel mio curriculum vitae allegato, sono laureata in Lingue e ho maturato un'esperienza didattica di 5 anni in Italia e all'estero, insegnando soprattutto ad adolescenti e adulti.
Credo di essere una persona responsabile e adatta alle esigenze di una scuola prestigiosa come la vostra.
In attesa di una Sua cortese risposta, resto a Sua disposizione per un eventuale colloquio.

Distinti saluti,
Marisa Grandi

1. L'annuncio è apparso sul sito della scuola.

2. Chi scrive è insegnante.

3. Ha lavorato anche nella redazione di una rivista.

4. Questa è la seconda volta che scrive all'Istituto.

5. Insieme alla lettera, ha inviato anche il suo C.V.

6. Attualmente non vive in Italia.

7. Fa riferimento alle qualità personali, oltre che professionali.

8. Ha già lavorato con studenti adolescenti.

9. Conosce personalmente il direttore dell'Istituto.

10. L'Istituto "I. Calvino" offre corsi in diverse lingue.

3 Quella appena vista è una lettera formale. Quali parole o espressioni presenti in essa non trovereste in una lettera amichevole? Sottolineatele.

4 Adesso tocca a voi. Immaginate di voler inviare ad un'azienda il vostro C.V. accompagnato da una lettera di presentazione *(80-100 parole)*. Scegliete voi il campo in cui l'azienda opera (abbigliamento, editoria, banche, turismo, automobili, arredamento ecc.) e il posto che vorreste ricoprire al suo interno (segretaria, responsabile vendite, insegnante, ...).

lettere/e-mail formali	
Formule di apertura	**Formule di chiusura**
Egregio Signore/Dottore/Direttore	*(Porgo) Cordiali/Distinti saluti*
Gentile/Gentilissima Signora	*La saluto cordialmente*
Gentili Signori/Signore	*Con stima*
Spettabile Ditta	*In fede*

5 Osservate le frasi che seguono: che differenza c'è nell'uso di *chi* nelle due colonne?

Chi scrive?   *Chi scrive è un'insegnante...*
Con chi sei uscito ieri?   *Chi parla troppo non sa ascoltare.*

Esatto: *chi* non è solo un pronome interrogativo, ma anche relativo e significa *la persona che*. Lo incontriamo spesso nei proverbi.

6 Abbinate in modo da ricostruire alcuni noti proverbi italiani. Lavorate in coppia.

1. Chi tardi arriva...   2. Chi dorme...   3. Chi trova un amico...

4. Chi va piano...   5. Chi cerca...   6. Chi fa da sé...

a. *...non piglia pesci*   b. *...va sano e va lontano*   c. *...fa per tre*
d. *...male alloggia*   e. *...trova un tesoro*   f. *...trova*

➤12

D   In bocca al lupo!

1   Prima di leggere il brano, osservate queste parole: conoscete il significato di tutte?

colloquio   candidato   concorso   annuncio   posto   deluso

2   Ricostruite il dialogo scrivendo il numero d'ordine giusto accanto a ciascuna battuta.

1	*Milena:*	Allora, come va la tua ricerca di un nuovo lavoro?
☐	*Gennaro:*	Nel senso che fai la domanda, studi mesi e mesi e poi quando vai a fare il concorso trovi migliaia di candidati per pochi posti! Il che, scusa, non mi sembra molto incoraggiante.
☐	*Milena:*	In bocca al lupo, allora!
☐	*Gennaro:*	Ancora niente… avrò mandato cento curriculum e sai quanti colloqui ho fatto? Solo tre! Senza risultato…
☐	*Milena:*	Ah, mi dispiace! Ma hai provato a partecipare a un concorso pubblico?
☐	*Gennaro:*	Sì, va be', è giusto quello che dici, però io preferisco continuare a cercare sugli annunci di lavoro…
☐	*Milena:*	Sì, magari hai ragione, ma se non ci provi neppure…
☐	*Milena:*	In che senso delusi?
☐	*Gennaro:*	Perché tu credi ancora nei concorsi? Secondo me, molti di quelli che ci provano rimangono delusi!
10	*Gennaro:*	Crepi!

3   Nel dialogo abbiamo visto: "è giusto quello che dici". Osservate:

forma corretta	forma sbagliata
coloro che (le persone che) credono	~~loro che~~ credono
tutti quelli che	~~tutti che~~
quello che (ciò che) dici	~~questo che~~ dici

Ricordate la frase di Gennaro *Il che, scusa, non mi sembra molto incoraggiante*? Osservate:

Non ha chiamato; questo significa che non verrà.
Non ha chiamato, **il che** significa che non verrà.

4 Lavorate in coppia e scrivete sul vostro quaderno una frase per ciascuna delle forme viste al punto 3.

➡13

E Curriculum Vitae

 1 Avete mai sostenuto un colloquio di lavoro? Quali sono, secondo voi, le domande più frequenti? In coppia, fate una lista e confrontatela con i compagni.

 2 Adesso ascoltate uno dei pochi colloqui che ha fatto Gennaro. Ci sono domande che non avevate previsto?

3 Ascoltate di nuovo e completate il curriculum vitae di Gennaro.

CURRICULUM VITAE

INFORMAZIONI PERSONALI
Nome: Gennaro Mossini
Data e luogo di nascita: 18 maggio 1979, (1)..........................
Stato civile: celibe
Indirizzo: Via G. Bruno 156, Firenze
Telefono: 338.112233
E-mail: genmos@tiscali.it
Nazionalità: italiana

ISTRUZIONE E FORMAZIONE

TITOLI DI STUDIO
1998: Diploma di Maturità Scientifica (voto: 90/100) ottenuto presso il Liceo "T. Tasso" di Pisa.

A.A. 2005-2006. Università degli studi di (2)......................... Laurea in Economia e Commercio (votazione (3).........................../110)
A.A. 2003-2004 Borsa di (4)......................... - Statson University, Londra

CONOSCENZA DELLE LINGUE
Inglese: (5).......................... comprensione e produzione scritta e orale.
(6)..........................: buona comprensione scritta e orale, buona produzione scritta e orale.

PRATICA DI SISTEMI INFORMATICI
Buona conoscenza del sistema operativo WINDOWS. Buona conoscenza dei programmi Office, ottima di Word ed Excel. In possesso del Certificato (7)......................... ECDL.

ESPERIENZA LAVORATIVA
(8)......................... vendite presso la *Soft Systems* di Firenze (2 anni).

INTERESSI PERSONALI
Libri, viaggi, internet

4 Rispondete alle domande.

1. Che problema ha avuto Gennaro durante l'università?

2. Come sono andate le cose per lui in Inghilterra?

3. Che lavoro ha fatto prima di presentarsi a questo colloquio? Perché è andato via da quell'azienda?

4. Secondo voi com'è andato il colloquio? Scambiatevi idee.

5 In coppia completate gli annunci con le parole date sotto. Secondo voi, quale annuncio è più adatto al C.V. di Gennaro?

a. Importante ditta di abbigliamento con sede a Milano ricerca un addetto alle vendite. Il 1. _____ ideale è un diplomato con buona conoscenza dei principali pacchetti informatici e della 2. _____ inglese. Necessaria 3. _____ simile, preferibilmente in negozio di abbigliamento. Affidabilità e precisione costituiscono 4. _____ necessari. Dopo un periodo di prova si offre assunzione a tempo indeterminato. Inviare C.V. via fax al numero 02.3300220.

b. Group Assicurazioni ricerca per la 5. _____ di Pescara neolaureato da inserire come responsabile commerciale. Requisiti richiesti: età inferiore ai 29 anni, laurea, buona 6. _____ dei programmi informatici Office, buona conoscenza dell'inglese. Titoli preferenziali: breve esperienza presso 7. _____ di assicurazione o studi legali; corsi specialistici in ambito commerciale/finanziario. I candidati interessati possono inviare il proprio C.V. tramite il sito internet aziendale alla sezione " 8. _____ di lavoro".

da Trovolavoro - Corriere della Sera

candidato   lingua   opportunità   requisiti   sede   conoscenza   esperienza   compagnie

6 Scegliete un annuncio del punto 5 e scrivete un C.V. con i requisiti richiesti.

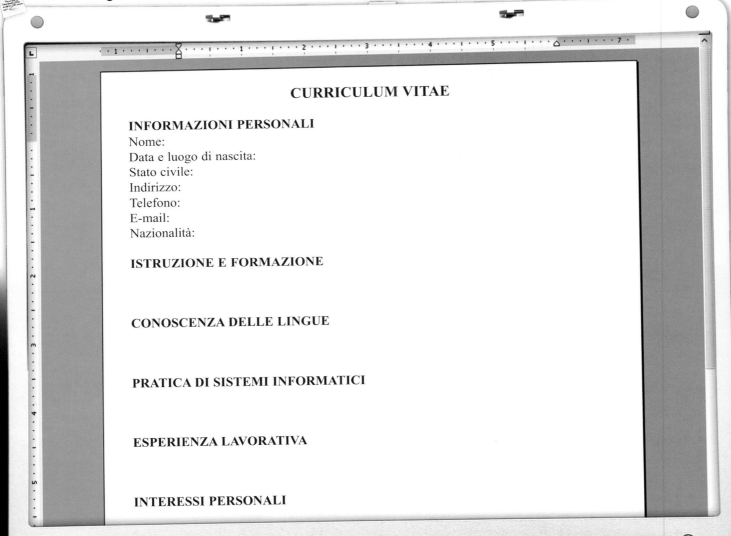

CURRICULUM VITAE

INFORMAZIONI PERSONALI
Nome:
Data e luogo di nascita:
Stato civile:
Indirizzo:
Telefono:
E-mail:
Nazionalità:

ISTRUZIONE E FORMAZIONE

CONOSCENZA DELLE LINGUE

PRATICA DI SISTEMI INFORMATICI

ESPERIENZA LAVORATIVA

INTERESSI PERSONALI

F   Un colloquio di lavoro... in diretta

1   Leggete il titolo dell'articolo che segue e fate delle ipotesi: che cos'è successo, secondo voi?

2   Leggete l'intero testo e indicate le affermazioni corrette.

Imbarazzante equivoco per un giovane negli studi tv di Londra

Alla Bbc per un colloquio di lavoro Va in diretta scambiato per l'ospite

LONDRA - È entrato cardinale, è uscito Papa e nessuno se n'è accorto, o quasi. È andata un po' così a un ragazzo originario del Congo che si è presentato presso gli studi della Bbc per un colloquio di lavoro e invece, per un equivoco epocale, è finito davanti alle telecamere, in diretta mondiale. Per parlare di qualcosa di cui non sapeva assolutamente nulla.

Guy Goma voleva solo proporsi come tecnico informatico. Però: "È successo tutto così all'improvviso, stavo per allontanarmi dalla reception quando un tipo mi ha detto di seguirlo. Andava così di fretta che per stargli dietro mi sono messo a correre. E correndo correndo siamo arrivati in un camerino dove mi aspettava un truccatore, il che mi è sembrato molto strano!"

Dunque, al trucco, poi dritto nello studio della diretta, davanti alla conduttrice della Bbc. Che senza alcuna incertezza lo ha presentato come Guy Sonders, esperto di economia. Lui, che di economia non ne sa assolutamente niente. "Quando ho capito che ero in diretta, di fronte alle telecamere, che cosa potevo fare? Ho cercato di rispondere alle domande e di stare calmo".

Prima domanda della conduttrice: "Che cosa ne pensa della decisione della Banca Barclays di licenziare 400 dipendenti esperti e di assumere al loro posto giovani neo-laureati?". Risposta, azzeccata lì per lì: "Sono molto sorpreso, questa decisione mi è veramente caduta addosso, non me l'aspettavo".

Nel frattempo, il vero Sonders era arrivato e stava aspettando nella lobby, davanti a un monitor. E si è reso conto che il suo nome compariva sullo schermo sotto il volto di uno sconosciuto, il quale cercava, senza molto successo, di dare risposte coerenti alle domande dell'intervistatrice. A quel punto, l'equivoco si è sciolto. Cos'era successo? L'impiegato mandato ad accogliere l'esperto si era semplicemente recato nella reception sbagliata!

A Goma è andata comunque bene: da disoccupato adesso è una specie di "star per caso" ed è stato invitato a partecipare ad altre trasmissioni televisive. Ma alla fine ha ottenuto il posto di lavoro per il quale si era presentato? La Bbc non l'ha fatto sapere...

da la Repubblica

1. Guy Goma è
- [ ] a. un esperto di economia
- [ ] b. un tecnico
- [ ] c. un impiegato della Bbc
- [ ] d. una star della Bbc

2. Quando ha capito che era in diretta
- [ ] a. è rimasto senza parole
- [ ] b. si è alzato ed è uscito
- [ ] c. ha mantenuto la calma
- [ ] d. ha detto chi era veramente

3. Alla prima domanda ha risposto
- [ ] a. che non ne sapeva nulla
- [ ] b. che si aspettava questa notizia
- [ ] c. di essere d'accordo con il licenziamento
- [ ] d. in modo generico

4. La verità è venuta fuori
- [ ] a. quando il vero Sonders è arrivato negli studi
- [ ] b. mentre il vero Sonders guardava la tv da casa
- [ ] c. perché Goma rispondeva in modo incoerente
- [ ] d. quando la conduttrice ha capito l'equivoco

3   Nell'articolo abbiamo visto le espressioni "*stavo per* allontanarmi dalla reception" (2° paragrafo) e "*stava aspettando* nella lobby" (5° paragrafo): che cosa significano, secondo voi?
Osservate:

> *stare* + gerundio   e   *stare per* + infinito
>
> *These verbs highlight a specific aspect of the action.*
>
> a. the progressive aspect of an action: *Stavo lavorando* quando Elisa mi ha telefonato.
> Che *stai facendo**?
>
> b. the proximity of the action: *Sto per* uscire, cosa vuoi? / *Stavo per* cadere.
>
> *More on the *gerundio* in unit 11, *The Italian Project 2b.*

4   Completate le frasi con: *sta per, sto per, sta cercando, stai facendo.*

1. È un periodo importante questo: .... prendere una decisione difficile.
2. Che ....? Ti va di fare quattro passi?
3. Paola vuole cambiare casa, proprio in questi giorni .... sugli annunci.
4. Chiara ha preso un prestito e .... aprire un negozio tutto suo.

➡14

5   Osservate i disegni e raccontate la storiella.

G   Vocabolario e abilità

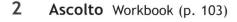

1   **Lavorate in coppia. Scrivete accanto alle definizioni, tratte da un dizionario italiano, le professioni date. Attenzione: le professioni sono di più!**

segretaria cameriere maestra regista commercialista
commessa giornalista elettricista cuoco operaio

1. Tecnico che ripara o installa impianti elettrici.

2. Chi per mestiere scrive articoli per i giornali, la radio, la televisione.

3. Donna che insegna nella scuola elementare o in una scuola d'infanzia.

4. Professionista che si occupa dei problemi commerciali e amministrativi.

5. Chi serve a tavola o provvede alle pulizie in alberghi, bar ecc.

6. Lavoratore dipendente che svolge un lavoro manuale e spesso faticoso.

7. Persona esperta nell'arte del cucinare.

8. Chi svolge lavoro d'ufficio, sbriga la corrispondenza e tiene gli appuntamenti
   per un suo superiore.

2   **Ascolto**   Workbook (p. 103)

3   **Situazione**

Sei *A*: hai fissato un colloquio con il direttore di un'azienda, a pagina 155 troverai il 'tuo' C.V. e qualche domanda da fare al direttore. Preparati per 2-3 minuti e... in bocca al lupo!

Sei *B*: sei il direttore dell'azienda e vuoi alcuni chiarimenti sul C.V. di *A*, ma anche altre informazioni. A pagina 157 troverai tutto il materiale di cui hai bisogno.

4   **Scriviamo**

Scrivete una lettera ad un amico italiano in cui gli parlate del vostro nuovo lavoro (come lo avete trovato, condizioni, ambiente lavorativo, aspetti positivi e non). In alternativa, potete parlare del lavoro che vorreste fare, spiegandone il perché. *(80-120 parole)*

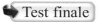 Test finale

L'economia italiana

Il miracolo economico

Dopo la seconda guerra mondiale e fino ai primi anni '50, l'Italia era un paese povero con un'economia basata sull'agricoltura e con poche materie prime*.

Grazie al cosiddetto "piano Marshall" (un progetto di finanziamento degli Stati Uniti per il sostegno e la ripresa economica dell'Europa messa in ginocchio* da tanti anni di guerra), gli italiani hanno realizzato numerose e importanti opere pubbliche (ad esempio, l'autostrada "del Sole" Milano-Napoli) creando così nuovi posti di lavoro, nuovi bisogni e consumi. Le principali aziende italiane hanno potuto rinnovare i loro impianti*, introducendo nuove tecnologie, e agli inizi degli anni '60, grazie anche al basso costo della manodopera*, erano già in grado di esportare* il 40% della loro produzione in Europa: auto, frigoriferi, lavatrici, televisori, ma anche prodotti alimentari e tessili*. Tutti i settori dell'economia, soprattutto quello metalmeccanico e petrolchimico, hanno avuto uno sviluppo senza precedenti.

Il "boom" economico, però, ha accentuato* il già grande squilibrio tra Nord e Sud: decine di migliaia di giovani sono dovuti emigrare verso i centri industriali del Nord. La *Cassa per il Mezzogiorno*, istituita* nel 1950 per favorire lo sviluppo del Sud, non ha potuto risolvere i problemi, purtroppo ancora oggi presenti.

Fondata nel 1899 a Torino da Giovanni Agnelli, la *FIAT* (Fabbrica Italiana Automobili Torino), è sempre stata protagonista dell'economia italiana. Pian piano è diventata un colosso economico, importantissimo a livello mondiale, al quale oggi appartengono, tra l'altro, la *Ferrari*, l'*Alfa Romeo*, la *Lancia*, la *Maserati* e la *Piaggio*.

È grazie ai modelli economici della FIAT, come la 500, che gli italiani cominciano negli anni '50 a riempire le autostrade nei weekend: segno di una società in trasformazione.

Il primo segnale del "boom" è la vasta diffusione della *Vespa*, presto diventata un vero e proprio simbolo dell'Italia e del *Made in Italy*.

L'economia oggi

L'Italia è oggi uno dei paesi più sviluppati al mondo. Grazie alla loro creatività, gli italiani esportano con grande successo i loro prodotti in tutto il mondo. Il *Made in Italy* si è affermato in quasi ogni settore dell'economia: dai macchinari industriali e dalle automobili (*FIAT, Ferrari, Alfa Romeo*) alle motociclette (*Aprilia, Piaggio, Ducati*); dagli elettrodomestici* (*Zanussi, Candy, Ariston*) alle assicurazioni (*Generali*); dai mobili, famosi per il loro design, agli pneumatici* (*Pirelli*). Inoltre, tantissimi prodotti alimentari: caffè (*Lavazza, Illy*), dolci (*Ferrero, Algida*), pasta (*Barilla*), formaggi, salumi, frutta, olio, vino ecc. E, infine, non dimentichiamo la moda: numerose sono le grandi aziende italiane, famosissime nel mondo, che producono capi di abbigliamento, calzature e accessori di alta qualità.

Il settore dei servizi* è molto sviluppato e occupa più del 60% della popolazione. Comprende, tra l'altro, le telecomunicazioni, uno degli elementi più attivi dell'economia italiana: società come la *Telecom Italia* e la *Fininvest* (quest'ultima di proprietà della famiglia Berlusconi) sono tra le più grandi d'Europa. Molto importante per l'economia italiana è, infine, il turismo: oltre 100 milioni sono gli stranieri che ogni anno visitano il *Belpaese*: non solo per ammirare i tesori d'arte e le bellezze naturali ma anche per visitare importanti fiere* commerciali.

1. Il miracolo economico italiano:

- [ ] a. ha avuto inizio subito dopo la guerra
- [ ] b. è stato possibile grazie agli europei
- [ ] c. si è verificato soprattutto al Nord
- [ ] d. è stato possibile grazie alle ricche risorse naturali

2. Il *Made in Italy* si
riferisce soprattutto:

- [ ] a. ai prodotti agricoli
- [ ] b. ai prodotti industriali
- [ ] c. alle telecomunicazioni
- [ ] d. al turismo

3. La *FIAT*:

- [ ] a. è un simbolo dell'industria italiana
- [ ] b. ha pochi anni di vita
- [ ] c. è grande, ma solo a livello europeo
- [ ] d. ha prodotto sempre e solo macchine costose

*Il marchio del portale
www.italia.it, realizzato per
promuovere l'immagine
dell'Italia nel mondo.*

L'Italia lascia il segno

Il *Made in Italy*

1. Quali di queste marche italiane conoscete?
Sapete a quali prodotti corrispondono?
Scambiatevi informazioni.

2. Riferite altre marche italiane che hanno una
forte presenza nel vostro paese.

3. Quali sono, secondo voi, i segreti del successo
mondiale del *Made in Italy*?

Attività online

Glossary: <u>materie prime</u>: raw material; <u>mettere in ginocchio</u>: to ruin; <u>impianto</u>: system, plant; <u>manodopera</u>: labor, work; <u>esportare</u>: to export; <u>tessile</u>: textile; <u>accentuare</u>: to accentuate; <u>istituire</u>: to institute; <u>elettrodomestico</u>: home appliance; <u>pneumatico</u>: tyre; <u>servizi</u>: services; <u>fiera</u>: trade fair.

Autovalutazione
Che cosa ricordate delle unità 1 e 2?

1. Abbinate le frasi.

1. Com'è il tuo inglese?
2. Katia ha trovato lavoro alla Fiat.
3. Scusami, tesoro!
4. È impossibile!

a. Non importa!
b. Ottimo!
c. Dai, non vedere tutto nero!
d. Davvero?!

2. Sapete...? Abbinate le due colonne.

1. chiedere il perché
2. esprimere sorpresa
3. augurare buona fortuna
4. chiudere una lettera

a. Come mai?
b. Cordiali saluti.
c. In bocca al lupo!
d. Caspita!

3. Completate o rispondete.

1. Chi va piano ....
2. Qual è il decennio del "boom economico"? ....
3. Ti + ne: ....
4. Tre pronomi relativi: ....
5. Quali di queste espressioni usereste in una lettera formale? *Caro Sergio, Gentile sig. Albertini, ArrivederLa, Salve, Spettabile Ditta.*

4. Abbinate le parole alle definizioni. Attenzione: ci sono due parole in più!

licenziare concorso colloquio di lavoro frequentare versare
assumere disoccupato prelevare promuovere risparmiare

1. incontro per capire se qualcuno è adatto a un
   posto di lavoro ....
2. colui che non ha un lavoro
   ....
3. mandare via dal posto di lavoro
   ....
4. dare un voto sufficiente ad un esame
   ....
5. mettere soldi da parte
   ....
6. prendere soldi da un conto bancario
   ....
7. dare un posto di lavoro a qualcuno
   ....
8. seguire regolarmente le lezioni
   ....

**Verificate le vostre risposte a
pagina 154. Siete soddisfatti?**

La Mole Antonelliana, Torino

Per cominciare...

1 Discutete in coppia: in quale di queste città/località andreste per...?
a. frequentare l'università, **b.** fare il viaggio di nozze, **c.** trascorrere le vacanze estive, **d.** fare una vacanza studio o culturale, **e.** fare shopping, **f.** lavorare per qualche tempo

Firenze

Venezia

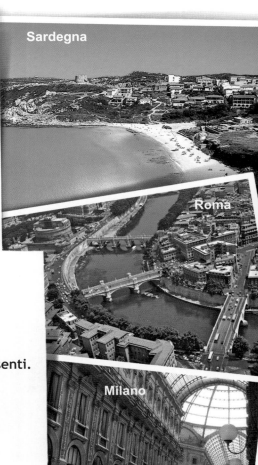

Sardegna

Roma

Milano

2 Confrontate le vostre idee/preferenze con le altre coppie.

3 Ascoltate una prima volta il dialogo: di quali città si parla?

4 Ascoltate nuovamente il dialogo e indicate le informazioni presenti.

1. Andrea pensa di cambiare lavoro.
2. Lo stipendio che gli offrono è altissimo.
3. Secondo Pina, Roma è una città piena di vita.
4. Andrea preferisce Milano a Roma.
5. Per Andrea, un problema di Venezia sono gli spostamenti.
6. Andrea ha già una casa a Venezia.
7. Andrea non può portare a Firenze il suo cane.
8. Alla fine Pina gli consiglia di rimanere a Napoli.

In this unit... (Glossary on page 173)

1. ...we learn to make comparisons, to judge something or express preference for things and people, to book a room in a hotel, to request or give tourist information, vocabulary regarding hotel services
2. ...we get to know how to compare, adjective degrees, the verbs *farcela* and *andarsene*, geographical adjectives and nouns
3. ...we find information about the most important Italian cities

A È più grande di Napoli!

1 Le battute di Pina sono in ordine, ma quelle di Andrea no! Potete numerarle secondo un ordine logico? Poi riascoltate il dialogo per verificare le vostre risposte.

Pina: Ma cosa c'è da pensare ancora?! È un ottimo posto di lavoro!

Pina: Ma quali altre città ti hanno proposto?

Pina: Beh, io direi Roma. È più grande di Napoli, ricca di bellissimi monumenti...

Pina: E di Milano cosa ne pensi? È una grande città, moderna, europea, vivace.

Pina: ...Allora, se non puoi fare a meno del mare, forse a Venezia ti sentirai come a casa tua.

Pina: Già. Allora, non ti resta che Firenze: meno impersonale delle altre e poi, dai, è bellissima, una città d'arte.

Pina: Se la pensi così, allora rinuncia a questo lavoro. Sai come si dice: "Casa, dolce casa"...

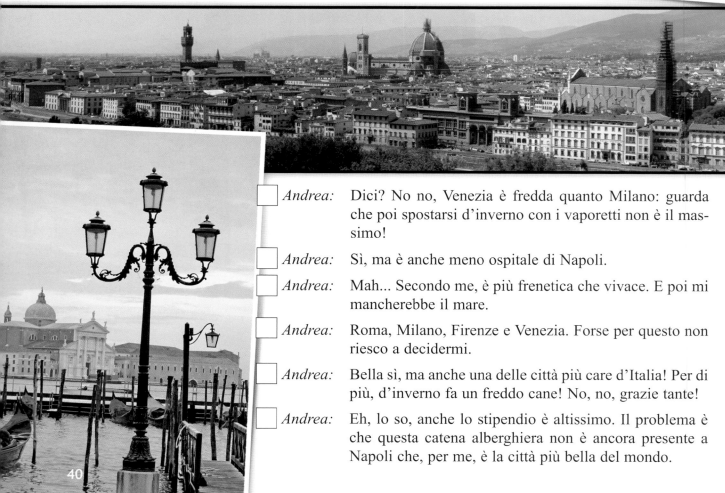

Andrea: Dici? No no, Venezia è fredda quanto Milano: guarda che poi spostarsi d'inverno con i vaporetti non è il massimo!

Andrea: Sì, ma è anche meno ospitale di Napoli.

Andrea: Mah... Secondo me, è più frenetica che vivace. E poi mi mancherebbe il mare.

Andrea: Roma, Milano, Firenze e Venezia. Forse per questo non riesco a decidermi.

Andrea: Bella sì, ma anche una delle città più care d'Italia! Per di più, d'inverno fa un freddo cane! No, no, grazie tante!

Andrea: Eh, lo so, anche lo stipendio è altissimo. Il problema è che questa catena alberghiera non è ancora presente a Napoli che, per me, è la città più bella del mondo.

2   **Scegliete l'affermazione giusta.**

Cosa intende Andrea quando dice:

"fa un freddo cane" ☐ a. fa molto freddo, ☐ b. fa un freddo sopportabile

"non è il massimo" ☐ a. non è la cosa più importante, ☐ b. non è la cosa migliore

Cosa intende Pina quando dice:

"se non puoi fare a meno del mare" ☐ a. se non puoi vivere senza il mare, ☐ b. se non sopporti il mare

"ti sentirai come a casa tua" ☐ a. sarà facile trovare una casa, ☐ b. sarà facile abituarsi

"Già" ☐ a. comprende il punto di vista di Andrea, ☐ b. ha già sentito ciò che dice Andrea

"non ti resta che..." ☐ a. l'unica alternativa è, ☐ b. manca ancora poco tempo

3   **Il giorno dopo Pina discute con Carla. Completate il loro dialogo con:** *più, meno, più, quanto, di.*

Carla:	Alla fine Andrea ha accettato quella proposta di lavoro o no?
Pina:	È ancora indeciso, perché non ce la fa a vivere lontano da Napoli.
Carla:	Non gli piacerebbe andare nemmeno a Roma?
Pina:	No, perché crede che sia (1)................. ospitale di Napoli.
Carla:	Forse è vero, ma è certo più viva (2)................. tante altre città. Parlo di Milano, Venezia, per esempio...
Pina:	Queste città Andrea nemmeno le prende in considerazione! Dice che Venezia la trova tanto fredda (3)................. Milano.
Carla:	Può darsi, ma sicuramente è (4)................. tranquilla. Poi? Può scegliere tra altre città?
Pina:	Ci sarebbe Firenze, ma per lui è tra le città (5)................. care d'Italia, il che forse è vero.
Carla:	Secondo me sono tutte scuse perché in fondo non se ne vuole andare da Napoli!
Pina:	Ma così rischia di perdere la migliore occasione della sua vita!

4   **Abbiamo appena letto** "non *ce la fa* a vivere lontano da Napoli" **e** "non *se ne* vuole *andare* da Napoli". **Capite il significato di questi verbi? In Appendice, a pagina 151, potete vedere come si coniugano.**

◀ 1

5   **Immaginate di essere Andrea: scrivete un'e-mail ad un amico per chiedere consigli sulla decisione da prendere.** *(50-60 parole)*

6 Quali parole usiamo per fare un confronto? Osservate la conversazione al punto 3 e completate la tabella che segue.

Comparazione tra due nomi o pronomi

Laura è **più** gentile .... <u>Saverio</u>.
<u>Lui</u> studia **più di** <u>te</u>.

(comparativo di maggioranza)

<u>Parma</u> è .... grande **di** <u>Roma</u>.
<u>Io</u> ho mangiato **meno di** <u>te</u>.

(comparativo di minoranza)

<u>Noi</u> siamo (tanto) bravi **quanto** <u>loro</u>.
<u>Ferrara</u> è (così) piccola **come** <u>Perugia</u>.

(comparativo di uguaglianza)

7 Osservando la scheda precedente ed il modello, costruite delle frasi orali.

Tina / magra / Daria.

Tina è più magra di Daria. / Tina è meno magra di Daria. / Tina è magra quanto Daria.

1. Le ragazze / leggono / i ragazzi.
2. Questa casa / costa / la nostra.
3. I documentari / interessanti / i telegiornali.
4. Le gonne / comode / i pantaloni.
5. La macchina di Elisa / veloce / la mia.
6. Beatrice / carina / sua sorella.

➡ 2 - 5

8 Lavorate in coppia: ognuno, guardando la tabella, dovrà fare un'osservazione (ad es. "La Sicilia è più grande della Sardegna", o "Milano ha meno abitanti di Roma", oppure "La Toscana è grande quasi quanto l'Emilia Romagna") mentre l'altro controlla l'esattezza delle informazioni.

regione	superficie	abitanti
Lombardia	23.857 kmq	8.900.000
Veneto	18.364 kmq	4.370.000
Emilia Romagna	22.124 kmq	3.940.000
Toscana	22.992 kmq	3.600.000
Lazio	17.203 kmq	5.100.000
Campania	13.595 kmq	5.700.000
Sicilia	25.709 kmq	5.100.000
Sardegna	24.090 kmq	1.640.000

capoluogo	abitanti
Milano	1.520.000
Venezia	330.000
Bologna	440.000
Firenze	440.000
Roma	2.900.000
Napoli	1.216.000
Palermo	720.000
Cagliari	223.500

Quali altre regioni e città italiane conoscete?

B Più italiana che torinese!

1 In ogni Paese, tra le varie città o zone esistono differenze culturali, di mentalità ecc. Nel vostro che differenze ci sono? Parlatene in coppia.

2 Leggete il testo e indicate le affermazioni corrette.

Le differenze che ci uniscono

Abbiamo chiesto ad alcuni noti personaggi la loro opinione sull' "altra metà del paese": a quelli del Nord cosa pensano del Sud e viceversa. Ecco cosa ci hanno risposto:

Massimo Cacciari, ex sindaco di Venezia: "Amo tutto il Sud. Sono pazzo di Agrigento, Castel del Monte, la bellissima costiera Amalfitana. D'altra parte adoro la mozzarella di Caserta. In un mio menù ideale metterei più piatti meridionali che settentrionali."

Maria Teresa Ruta, giornalista tv, nata a Torino: "Io sono torinese, mia madre è di origini calabresi, mio padre è piemontese, ma ha sangue siciliano. Ho parenti sparsi lungo tutta la penisola. Quindi mi sento più italiana che torinese!"

Lina Sastri, attrice e scrittrice: "Sono una calabrese che adora Bologna. Ci vado spesso per lavoro, ma ho anche molti amici. Certo, Bologna non ha il mare, che è una parte di me. Ma ha uno spirito civile che ammiro. Noi meridionali siamo diversi: seguiamo più le emozioni che le leggi."

Luciano De Crescenzo, scrittore, napoletano: "A Milano mi affascinano le auto ferme. In questa città più che guidare si aspetta ai semafori. Quando ci sono andato a vivere, dopo un anno non conoscevo nessuno dei vicini. La mia *privacy* era garantita: non come a Napoli che chiunque mi entrava in casa a ogni ora. Insomma, amo Nord e Sud perché sono così: terribilmente diversi."

tratto da *Donna moderna*

1. Massimo Cacciari preferisce la cucina
   - a. del Nord
   - b. del Sud
   - c. veneziana

2. Maria Teresa Ruta
   - a. non si sente torinese
   - b. ha parenti in tutta Italia
   - c. ha parenti all'estero

3. Lina Sastri
   - a. va spesso in Calabria
   - b. ha una casa sul mare
   - c. si lascia guidare dalle emozioni

4. A Milano Luciano De Crescenzo
   - a. non conosceva nessuno
   - b. non usava mai la macchina
   - c. poteva godere della sua privacy

3 Sottolineate nel testo la comparazione usata da ciascun personaggio intervistato.

4 Osservate la tabella. Che differenze notate rispetto alla comparazione tra nomi e pronomi?

Comparazione tra due aggettivi, verbi o quantità

- Milano è una città vivace. ⇨ - Secondo me, è **più** <u>frenetica</u> **che** <u>vivace</u>.
- Beppe è molto intelligente. ⇨ - Io, invece, credo che sia **più** <u>furbo</u> **che** <u>intelligente</u>.

- Ti piace <u>guardare</u> la tv o <u>leggere</u>? ⇨ - Mi piace **più** <u>leggere</u> **che** <u>guardare</u> la tv.
- Mi piace il modo in cui insegna. ⇨ - Ma lei **più che** <u>insegnare</u>, <u>recita</u>.

- A casa nostra mangiamo **più** <u>carne</u> **che** <u>verdura</u>.
- Per fortuna leggo **più** <u>libri</u> **che** <u>riviste</u>.

5 Costruite delle frasi secondo gli esempi di sopra.

1. Questo chef / <u>famoso</u> / <u>bravo</u>.
2. Tiziana <u>simpatica</u> / <u>attraente</u>.
3. Divertente / <u>imparare</u> l'italiano / (<u>imparare</u>) il tedesco.
4. Alla festa di Carlo c'erano / <u>uomini</u> / <u>donne</u>.
5. Preferisco / <u>stare</u> a casa / <u>uscire</u> con Mario.

➡ 6 - 11

6 Abitanti d'Italia. In coppia cercate di completare i riquadri.

C   Vorrei prenotare una camera.

1   In base a quali criteri scegliereste un albergo? Come dovrebbe essere? Parlatene.

2   Ascoltate questa pubblicità e segnate con una X le affermazioni giuste.

1. L'albergo è	☐ l'Hilton	☐ l'Holiday Inn	☐ il Grand Hotel
2. L'albergo è	☐ di colore verde	☐ immerso nel verde	☐ immenso e verde
3. L'albergo ha	☐ un ottimo ristorante	☐ un ristorante tipico	☐ tre ristoranti
4. L'albergo ha	☐ un grande campeggio	☐ un vantaggio	☐ un grande parcheggio
5. I due ragazzi	☐ sono sposati	☐ sono fidanzati	☐ sono amici

3   Adesso ascoltate un dialogo e sottolineate i servizi menzionati.

🐕 Piccoli animali ammessi   📺 TV satellitare   ℹ️ Accesso internet

🚗 Parcheggio   🚿 Linea telefonica diretta   🍷 Mini bar (frigobar)

🏊 Piscina   🏋️ Palestra   ❄️ Aria condizionata   🍴 Ristorante

4   Ascoltate di nuovo e segnate le affermazioni presenti nella conversazione.

1. L'albergo è vicino al Colosseo.
2. Il signor Rapetti vuole una camera matrimoniale.
3. L'albergo ha camere con vista sul parco.
4. La camera 422 è la migliore dell'hotel.
5. Per gli animali è previsto uno sconto.
6. Il signor Rapetti chiede indicazioni su come arrivare.

5   In coppia, cercate di completare con le espressioni che avete sentito. Alla fine riascoltate il dialogo per verificare le vostre risposte e fate il role-play.

Prenotare una camera	Chiedere informazioni
....	....
....	....

A chiama un albergo per prenotare una camera: chiede informazioni sui prezzi, i servizi e altre caratteristiche dell'albergo. *B* è l'impiegato/a dell'albergo: dà tutte le informazioni richieste cercando di aiutare quanto possibile *A*.

6 Leggete questi due testi: qual è l'albergo più grande? E il più caro? Il più tranquillo? Quello più vicino alla stazione ferroviaria?

 7 Rispondete alle domande scambiandovi opinioni con i vostri compagni di classe.

1. Quale dei due alberghi scegliereste e perché? Scambiatevi opinioni.
2. Che somiglianze o differenze notate? Parlatene.
3. Vi piace pernottare in albergo? Motivate le vostre risposte.

D Il più bello!

1 Osservate e completate la tabella che segue.

46

Superlativo relativo di aggettivi

- È grande l'albergo? — Sì, è .... albergo **più grande** della zona.
- L'Italia ha molte belle città. — Sì, ma Roma è .... **più bella**!
- È difficile questo esercizio? — No, forse è .... esercizio **meno difficile** dell'unità.
- È antico quel monumento? — Sì, è .... monumento **più antico** della città.

2   Costruite delle frasi secondo l'esempio.

> albergo / caro / città.
> *Questo è l'albergo più caro della città.*

1. Alfredo / studente / bravo / classe
2. canzone / bella / Luciano Pavarotti
3. Venezia / città / tranquilla / Italia
4. Gino / impiegato / esperto / azienda

12 e 13

3   Osservate i fumetti e scegliete la parola giusta per completarli.

Per me Roma non è semplicemente bella è buonissima/bellissima!

Sì, sono stato male ma ora sto bene, anzi moltissimo/benissimo!

4   Le parole in blu dell'attività precedente rappresentano il *superlativo assoluto* di un aggettivo e di un avverbio. Lo usiamo per esprimere un giudizio senza fare paragoni con qualcos'altro. In coppia rispondete alle seguenti domande usando il superlativo assoluto.

1. Ti devi alzare presto domattina?
2. È pesante la tua valigia?
3. Trovi interessante questo libro?
4. Andate spesso al cinema?

14 - 16

5   Completate il testo con le preposizioni, semplici e articolate.

FIRENZE

Piazza della Signoria è considerata una "bellezza d'Italia", tra l'altro per la grandezza di *Palazzo Vecchio*, la monumentale *Fontana del Nettuno*, la copia ....(1) *David* di Michelangelo, una ....(2) sue opere migliori, il *Perseo*, capolavoro di Benvenuto Cellini e, infine, il *Ponte Vecchio*. È come visitare una raccolta ....(3) straordinarie opere d'arte. I cittadini passano accanto ....(4) queste meraviglie e quasi non le notano: sono abituati ....(5) cose belle. Gli stranieri restano incantati. Diceva Indro Montanelli, toscano e uno ....(6) maggiori giornalisti italiani: "Dei fiorentini bisogna salvare almeno un carattere, quello dell'amore che hanno ....(7) loro città. Ma io amavo la Firenze vecchia, la città medievale ....(8) stradine strette e le botteghe degli artigiani aperte sulla via. Che non cerco ....(9) ritrovare perché ormai non c'è più." Sono parole piene ....(10) malinconia, ma le cose sono cambiate ovunque e certe atmosfere sono sempre più difficili ....(11) scoprire, specialmente in un ambiente storico come questo: si cammina, si vive come tra le pagine di un manuale di architettura. Solo che ....(12) tetti dei palazzi ci sono ormai le antenne della televisione.

adattato da I come italiani *di Enzo Biagi*

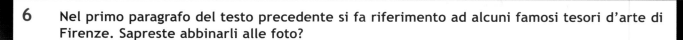

6   Nel primo paragrafo del testo precedente si fa riferimento ad alcuni famosi tesori d'arte di Firenze. Sapreste abbinarli alle foto?

7 Sempre nel testo su Firenze abbiamo letto "una delle sue opere *migliori*" e "uno dei *maggiori* giornalisti italiani". **Completate le frasi.**

Forme particolari di comparazione

Questo dolce è **più buono** di quello.	⇨ È sicuramente .... di quello.
La tua idea è **più cattiva** della mia.	⇨ È **peggiore** della mia.
Questo è il suo problema **più grande**.	⇨ È il suo problema ....
La mia sorella **più piccola** si chiama Ada.	⇨ Ada è la mia sorella **minore**.
ma anche:	
I guadagni sono stati **più alti** del previsto!	⇨ Sono stati **superiori al** previsto.
I risultati sono **più bassi** delle aspettative.	⇨ Sono **inferiori alle** aspettative.

Particular forms of the *superlativo* (i.e. *ottimo*) are in the Appendix on page 152.

8 Osservando la tabella precedente completate le frasi.

1. Questo programma non è tanto interessante, ma è sicuramente .... di quello che guardavi prima.
2. Oggi la qualità della vita è .... a quella di 50 anni fa.
3. La situazione qua è .... di quella che mi aspettavo: non vedo l'ora di andarmene.
4. Quest'anno il numero di incidenti è stato .... a quello dell'anno scorso grazie alle misure speciali prese dalla polizia stradale.
5. Le mie responsabilità sono .... delle tue poiché io sono più grande.
6. Nino ha due anni meno di me: è il mio fratello ....

17 e 18

E Vocabolario e abilità

1 Descrivete e commentate queste due foto.

2 Di seguito ci sono parole relative agli alberghi, ai viaggi in genere e ad entrambe le catego-
rie. Lavorando in coppia inseritele nei riquadri corrispondenti.

soggiorno pernottamento ricevimento biglietto prenotazione volo arrivo
partenza stazione porto aeroporto bagagli sistemazione cameriere
passeggero camera passaporto guida meta agenzia di viaggi alloggio

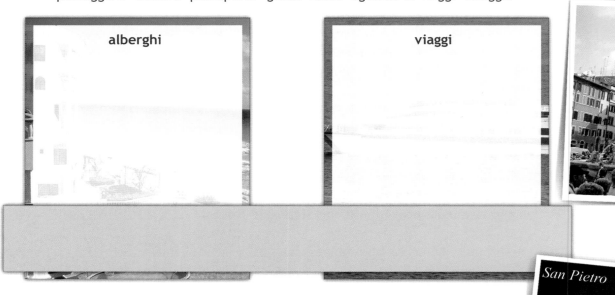

alberghi	viaggi

3 **Ascolto** Workbook (p. 117)

4 **Situazioni**

Role-play

1. Descrivi la tua città ad un amico italiano che non ci è mai stato: cosa ti piace
di più e cosa di meno, i luoghi che dovrebbe vedere o in cui sarebbe bello
trascorrere qualche serata con gli amici. Un tuo compagno, nella parte
dell'amico italiano, ti fa delle domande per saperne di più.

2. **Sei *A*** e vai in un'agenzia di viaggi per chiedere informazioni su un viaggio
in Italia: a pagina 155 troverai alcune delle domande che puoi formulare.
Sei *B* e lavori in un'agenzia di viaggi. A pagina 158 troverai un'offerta che
potrebbe essere... quasi perfetta per *A* e possibili risposte alle sue domande.

5 **Scriviamo**

1. Un tuo amico italiano pensa di trascorrere le vacanze nel tuo Paese, ma in
un periodo in cui tu non ci sarai. Chiede il tuo consiglio su cosa fare, dove
andare, quali città e monumenti visitare. La tua risposta deve essere invitante come una brochure pubblicitaria. *(100-120 parole)*

2. Dopo un soggiorno deludente in un albergo di Firenze scrivi una lettera al direttore in cui esponi i problemi che hai affrontato ed esprimi un giudizio
negativo sull'ospitalità, la professionalità del personale e la qualità dei servizi
in genere. *(100-120 parole)*

 Test finale

La Fontana di Trevi

Il Pantheon

Città italiane

Roma

La città eterna*, e centro del più grande impero* dell'antichità, è capitale d'Italia dal 1871. Si estende sulle due rive del fiume Tevere e oggi conta circa tre milioni di abitanti. Sono sempre tantissimi i turisti che la visitano ogni anno per ammirarne gli splendidi tesori d'arte: forse, è proprio vero che "tutte le strade portano a Roma" come si dice da più di duemila anni.

Oggi è una metropoli moderna e, soprattutto nelle ore di punta, è preferibile spostarsi con la metropolitana, che permette di raggiungere facilmente quasi tutte le zone della città. Inoltre, agli autobus è permesso l'accesso* alle zone chiuse al traffico ordinario.

Tra gli innumerevoli monumenti sparsi per la città, particolare riferimento meritano:

● il **Foro Romano** e il **Palatino**, centri religiosi, politici e commerciali della Roma antica. Vi si trovano le rovine di numerosi templi*, palazzi degli imperatori romani e tanti altri edifici dell'epoca antica;

● il **Colosseo**, o Anfiteatro Flavio (80 d.C.), era il simbolo della città antica e tanto grande da ospitare, durante gli spettacoli che vi si organizzavano, ben 50.000 spettatori;

Il Colosseo

● **Piazza Navona**, isola pedonale*, è uno dei punti di ritrovo più piacevoli e animati* di Roma. Al centro si trova la *Fontana dei quattro Fiumi*, capolavoro del Bernini;

● **Piazza di Spagna**, frequentatissima da turisti e giovani, deve il suo nome al Palazzo di Spagna, antichissima sede dell'ambasciata spagnola. L'enorme *scalinata* porta alla chiesa di *Trinità dei Monti*;

Vittoriano

● la **Fontana di Trevi**, grandioso e bellissimo monumento di Nicola Salvi. I turisti per antica tradizione vi gettano una moneta, sperando così di fare ritorno un giorno a Roma;

● la **Basilica di San Pietro** è la più grande chiesa del mondo. La sua enorme piazza è circondata* dal maestoso* *Portico* del Bernini. Al suo interno possiamo ammirare la *Pietà* di Michelangelo. Da visitare i *Musei Vaticani* con la *Cappella Sistina* e le *Stanze di Raffaello*. La basilica è situata al centro della Città del Vaticano, il più piccolo stato indipendente del mondo.

Altri monumenti importanti di Roma sono il *Campidoglio*, il *Vittoriano*, il *Pantheon*, *Castel Sant'Angelo*, le *catacombe**, le *Terme** di Caracalla e tanti altri.

Glossary: <u>eterno</u>: eternal; <u>impero</u>: empire; <u>accesso</u>: entrance, admission; <u>tempio</u>: temple; <u>pedonale</u>: pedestrian; <u>animato</u>: animated; <u>circondato</u>: surrounded, encircled; <u>maestoso</u>: majestic; <u>catacomba</u>: catacomb; <u>terme</u>: thermae, thermal bath.

1. Roma:

- [ ] a. è la capitale d'Italia da duemila anni
- [ ] b. è piena di tesori d'arte
- [ ] c. non dispone del metrò
- [ ] d. è una città tranquilla

2. Un luogo in cui gli stessi romani si danno appuntamento è:

- [ ] a. il Colosseo
- [ ] b. Piazza Navona
- [ ] c. il Foro Romano
- [ ] d. Piazza San Pietro

3. Roma è:

- [ ] a. il centro dell'economia italiana
- [ ] b. il più piccolo stato indipendente del mondo
- [ ] c. una città "museo"
- [ ] d. circondata da fiumi

Piazza di Spagna e Trinità dei Monti

Milano

È la città italiana più europea. Ricca e moderna, è il capoluogo finanziario d'Italia. Infatti, oltre alla sua fertile* economia (l'industria, il commercio, la moda), è sede di grandi banche e aziende italiane edestere, ospita la Borsa Valori e la sua Fiera è conosciuta a livello mondiale.

La città ha un efficiente servizio di trasporto pubblico: oltre agli autobus e al tram, i milanesi hanno a loro disposizione anche la metropolitana. Nonostante ciò il traffico è inevitabile e molti milanesi preferiscono trasferirsi in centri urbani intorno a Milano.

Il monumento più rappresentativo di Milano è senz'altro il *Duomo*, di stile gotico*, una delle più grandi e belle cattedrali del mondo. La sua *Piazza* e la vicina *Galleria Vittorio Emanuele II*, sono i punti d'incontro dei milanesi. Altri monumenti importanti sono il *Teatro alla Scala*, uno dei più celebri teatri lirici del mondo, e il *Castello Sforzesco*, un tempo residenza* dei duchi di Milano. Infine chi visita Milano ha l'occasione di ammirare dal vivo il *Cenacolo* (o l'*Ultima Cena*) di Leonardo da Vinci che si trova nel convento della *Chiesa S. Maria delle Grazie*.

Un Naviglio

Bologna

Sede della prima università del mondo (dal 1088!), è la capitale gastronomica* d'Italia: rinomata per la sua grande varietà di salumi e la buona cucina. Ha mantenuto, almeno al centro, la sua architettura medievale*, anche se delle oltre duecento torri ne sono rimaste pochissime, di cui le più famose sono quelle pendenti della *Garisenda* e degli *Asinelli* (100 m, 486 scalini). La *Chiesa di San Petronio*, *Piazza Maggiore* e *Piazza del Nettuno* completano il centro storico. Sotto i portici*, bolognesi, turisti e numerosi studenti vanno a spasso per gli eleganti negozi e i tanti caffè di questa tranquilla e, al tempo stesso, vivace città.

San Petronio

Glossary: fertile: fertile; gotico: gothic; residenza: residence; gastronomico: gastronomic; medievale: medieval; portico: arcade, porch.

A quale città corrisponde ogni affermazione?

1. Ci vivono molti studenti.
2. È famosa per la sua cucina.
3. Uno dei suoi problemi è il traffico.
4. Ha un carattere internazionale.
5. È moderna, nonostante i tanti palazzi antichi.
6. Vanno in scena molti spettacoli di Opera.

Milano	Bologna

Venezia

La "Serenissima" è una città costruita sull'acqua, cioè su circa 120 piccole isole divise da 160 canali e collegate tra loro da 350 ponti! Tra questi i più suggestivi* sono il famoso *Ponte dei Sospiri*, chiamato così perché i condannati (tra cui anche Giacomo Casanova) ci passavano sopra sospirando, e il *Ponte di Rialto* che, con le sue splendide botteghe, attraversa il *Canal Grande*.

Milioni di turisti ogni anno restano incantati* da questa città e dai suoi tesori d'arte che rischiano di finire sott'acqua, poiché Venezia "affonda" lentamente (mezzo centimetro all'anno). In *Piazza San Marco*, cuore del meraviglioso Carnevale, sorge la *Basilica di San Marco* (1073), il più alto esempio di arte veneto-bizantina anche se in seguito ulteriori interventi hanno lasciato tracce di altri stili (romanico, gotico, rinascimentale). Proprio accanto si può ammirare il Palazzo Ducale, simbolo della gloria* veneziana e residenza del Doge, cioè il capo dell'antica Repubblica marinara di Venezia.

Napoli

"Vedi Napoli e poi muori" si diceva una volta. Fondata dai greci nel V secolo a. C. con il nome *Neapolis* (città nuova), è la più importante città dell'Italia del Sud. Situata su un grande golfo, ai piedi del vulcano Vesuvio, è stata per sei secoli la capitale del Regno* di Napoli; di questo periodo glorioso ci rimangono testimonianze artistiche molto importanti. *Castel Nuovo* o *Maschio Angioino* (1282) e il *Teatro San Carlo* sono tra i monumenti più celebri. Napoli è una città affascinante, viva e divertente, dove si mangia bene; la gente, aperta e cordiale, parla il dialetto italiano certamente più musicale. D'altra parte, però, questa città affronta gravi problemi, legati alla disoccupazione e alla criminalità.

Il Golfo di Napoli

Il Canal Grande

A quale città corrisponde ogni affermazione?

1. Le sue origini sono molto antiche.
2. Non circolano quasi per niente auto.
3. Ha avuto a lungo un re.
4. In futuro forse non sarà più la stessa.
5. Più di duemila anni fa era abitata dai greci.
6. Ha molti problemi da risolvere.

Venezia	Napoli

Glossary: suggestivo: evocative, striking; incantato: charmed, spellbound; gloria: glory; regno: kingdom.

 Attività online

Autovalutazione
Che cosa ricordate delle unità 2 e 3?

1. Sapete...? Abbinate le due colonne.

1. cominciare una lettera
2. fare paragoni
3. esprimere un giudizio
4. chiedere il perché
5. fare una prenotazione

a. Per quale motivo l'hai fatto?
b. Vorrei una camera doppia.
c. È più intelligente di me.
d. Egregio Dottor Masi...
e. Ottima idea!

2. Abbinate le frasi. Nella colonna a destra c'è una frase in più.

1. Che tempo fa da voi?
2. Ami molto lo sport, no?
3. Secondo te, è vero?
4. Sai, io ho molti hobby!
5. Marta è molto ospitale.

a. Tipo?
b. Un freddo cane!
c. Sì, ti fa sentire come a casa tua.
d. No, sono tutte scuse!
e. Non posso farne a meno!
f. Per me non è il massimo.

3. Completate o rispondete.

1. Roma ha circa .... di abitanti mentre Milano circa ....
2. Il *Ponte di Rialto* di trova a .... e *Piazza della Signoria* a ....
3. Camera a due letti: ....
4. Il superlativo assoluto di *grande* e di *male*: ....
5. Quali parole usiamo per confrontare due aggettivi? ....

4. Completate le frasi con le parole mancanti.

1. La maggior parte dei t........................ non possono permettersi un a........................ a quattro stelle.
2. Con questa carta di c........................ puoi avere uno s........................ del 20% in molti negozi.
3. Abbiamo perso il v........................ per Londra perché avevamo dimenticato i b........................ a casa!
4. Per fortuna la mia a........................ di viaggi mi ha consigliato di p........................ molto prima.
5. Dopo quel c........................ di lavoro ha trovato un buon p........................ in banca.

Verificate le vostre risposte a pagina 154.
Siete soddisfatti?

Castello Miramare, Trieste

Un po' di storia

Per cominciare...

1 Facciamo un veloce test di storia? Abbinate le illustrazioni al periodo storico.

    a. 1920   **b.** 1860   **c.** Rinascimento (1500)   **d.** Medioevo   **e.** Roma Antica

2 Cosa sapete dell'Antica Roma? Secondo voi, quali di queste parole sono relative a quel periodo?

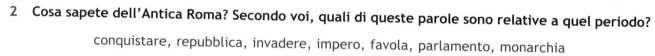

conquistare, repubblica, invadere, impero, favola, parlamento, monarchia

3 Ascoltate una prima volta il dialogo e verificate le vostre ipotesi.

4 Ascoltate di nuovo e indicate le affermazioni corrette.

1. Dopo la fondazione di Roma
   a. Romolo uccise Remo
   b. Remo uccise Romolo
   c. Romolo diventò imperatore
   d. Romolo diventò dittatore

2. All'inizio Roma era
   a. un impero
   b. una monarchia
   c. una penisola
   d. un villaggio

3. Giulio Cesare è stato
   a. il primo dittatore di Roma
   b. il primo imperatore di Roma
   c. un generale di Roma
   d. la persona più odiata di Roma

4. Fu un bravo imperatore
   a. Augusto
   b. Caligola
   c. Nerone
   d. Marco Aurelio

In this unit... (Glossary on page 175)

1. ...we learn how to talk about historical events far in the past, to give details about what was said, to contradict someone
2. ...we get to know the passato remoto, trapassato remoto and avverbi di modo
3. ...we find some information about Italian history from antiquity to nowadays

A Chi fondò Roma?

1 Ascoltate e leggete il dialogo per verificare le vostre risposte all'attività precedente.

Carletto: Papà, la maestra ci ha parlato un po' dell'antica Roma, ma non ho capito bene chi la fondò.

papà: Dai che lo sai già! La fondarono Romolo e Remo, ma poi Romolo litigò con suo fratello e lo uccise.

Carletto: Cioè Romolo fu anche il primo presidente di Roma?

papà: Facciamo un po' di ordine! Allora, all'inizio Roma era solo un villaggio, poi con il tempo i Romani sconfissero gli altri popoli della penisola e diventarono una potenza militare.

Carletto: Ho capito. E chi fu il primo imperatore di Roma, Cesare?

papà: No, per parlare di Cesare e dell'Impero Romano bisognerà aspettare ancora molti secoli. Prima ci furono i famosi sette re, poi da monarchia Roma divenne una Repubblica e conquistò quasi tutta l'Europa e parte dell'Asia e dell'Africa. Giulio Cesare, che era uno dei più grandi generali romani, alla fine diventò anche dittatore.

Carletto: Un dittatore! Allora era proprio cattivo!

papà: Non proprio! Anzi il popolo lo amava molto ma, forse proprio per questo, alcuni senatori lo uccisero.

Carletto: E dopo chi diventò imperatore?

papà: Il primo fu Augusto, uno dei migliori imperatori romani. Però non tutti gli imperatori furono bravi quanto lui; ad esempio, il pazzo Caligola nominò senatore il suo cavallo e Nerone accusò i cristiani dell'incendio che bruciò Roma. Tuttavia, non mancarono imperatori saggi, come Marco Aurelio e altri...

Carletto: Adesso credo di aver capito tutto. Papà, un'ultima domanda: Asterix quando diventò imperatore?!!

2 Leggete il dialogo e, in coppia, mettete in ordine cronologico gli avvenimenti.

Roma diventa una potenza militare.

Cesare diventa dittatore.

Augusto diventa imperatore.

Romolo uccide suo fratello Remo.

Roma conquista l'Europa e altri territori.

Alcuni senatori uccidono Cesare.

3 Il giorno dopo Carletto racconta alla sua maestra tutto ciò che ha imparato, ma confonde un po' (anzi, completamente) nomi e fatti. Completate il dialogo con i verbi dati.

Carletto:	Signora maestra, io so tutto dell'antica Roma! Me l'ha spiegato mio padre!
maestra:	Bravo, Carlo! Dai, raccontaci che cosa ricordi.
Carletto:	Allora, Romolo tradì Cesare, lo .... e fondò l'Impero romano. Poi i Romani .... le guerre contro altri popoli, conquistarono l'Asia e l'America e .... un giornale, "la Repubblica".
maestra:	Carletto, ma cosa dici? Romolo che fonda l'impero, l'America, un giornale! Stai facendo un po' di confusione, mi pare!
Carletto:	Cioè non è vero che i senatori .... Romolo per invidia?
maestra:	Di nuovo lo confondi con Cesare. Di lui ricordi qualcos'altro?
Carletto:	Certo: Cesare .... i cristiani di aver incendiato Roma e nominò senatore Augusto.
maestra:	Ragazzi, non date retta a quello che dice Carlo! Adesso vi spiego io come andarono veramente le cose.
Carletto:	Ma perché, non è vero che Augusto .... senatore e il peggior nemico di Asterix?
maestra:	No, Asterix fu un nemico di Cesare! Ma che dico?!!

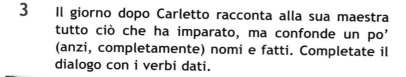

cominciarono   fu   fondarono   accusò   uccise   uccisero

4 Scrivete un breve riassunto *(40-50 parole)* del dialogo introduttivo.

....

....

....

....

....

....

5 Nel dialogo introduttivo abbiamo visto "Roma *conquistò* quasi tutta l'Europa" e "i Romani ... *diventarono* una potenza militare". **Provate a completare la tabella che segue.**

Il passato remoto (verbi regolari)

-are	-ere	-ire
and**ai**	cred**ei** (-**etti**)	cap**ii**
and**asti**	cred**esti**	cap**isti**
and......	cred...... (-**ette**)	cap**ì**
and**ammo**	cred**emmo**	cap**immo**
and**aste**	cred**este**	cap**iste**
and..........	cred**erono** (-**ettero**)	cap..........

When do you think the *passato remoto* is used? Check your ideas on page 152.

6 Costruite delle frasi mettendo il verbo tra parentesi al passato remoto.

1. La Repubblica Romana *(durare)* ben cinque secoli.
2. Loro *(insistere)* tanto che alla fine io *(accettare)*.
3. Dieci anni fa *(partire)* dal suo paese per andare a vivere a Milano.
4. In quel momento voi non mi *(prendere)* sul serio.
5. Quando noi *(arrivare)* in città, in giro non c'era nessuno.
6. Nel 1492 il genovese Cristoforo Colombo *(scoprire)* l'America.

Cristoforo Colombo

1 - 4

B In che senso?

1 Ascoltate le frasi e completate. Secondo voi, quando possiamo usare queste espressioni?

a. Non mi va di venire al cinema con te; .... che purtroppo abbiamo gusti diversi.

b. Stefano è un po' indiscreto, ... a volte fa delle domande troppo personali.

c. Allora, ...: ho reagito così perché mi sono sentito offeso.

d. È un tipo strano, ... a volte non gli puoi dire niente che si arrabbia subito.

e. Vittorio ha realizzato il suo sogno, ... una *Ferrari*, anche se di seconda mano.

2 In coppia formate due frasi usando le espressioni appena incontrate.

....

....

5

3   **Completate il fumetto con le battute date. Attenzione: ce ne sono due in più!**

1. Non è vero niente... nel senso che posso spiegare tutto!
2. Che ne dici di una bella partita a scacchi?
3. Ma non finisce qui tra noi, Gallo! Ci incontreremo di nuovo!
4. Eccoli! Sono tornati!
5. Qualcuno può spiegarmi cosa è successo?
6. Ma io feci esattamente quello che mi avevi detto tu, Cesare!

4   Indicate le affermazioni corrette.

1. Caius Bonus voleva:
    - [ ] a. assassinare Cesare
    - [ ] b. procurare a Cesare la pozione magica
    - [ ] c. diventare imperatore con l'aiuto di Asterix

2. Cesare:
    - [ ] a. non crede alle parole di Asterix
    - [ ] b. decide di dare Caius Bonus in pasto ai leoni del Colosseo
    - [ ] c. affida a Caius Bonus una missione pericolosa

3. Alla fine:
    - [ ] a. Cesare lascia andare i due Galli
    - [ ] b. Cesare e Asterix diventano amici del cuore
    - [ ] c. Cesare e Asterix si danno appuntamento a Roma

5   Nell'attività precedente abbiamo incontrato forme come "io *feci* esattamente quello che mi avevi detto tu". Completate la tabella con: *diede, fu, dicesti, feci*.

Verbi irregolari (I)		
avere	**essere**	**dare**
ebbi	fui	diedi (detti)
avesti	fosti	desti
ebbe	....	.... (dette)
avemmo	fummo	demmo
aveste	foste	deste
ebbero	furono	diedero (dettero)
dire	**fare**	**stare**
dissi	....	stetti
....	facesti	stesti
disse	fece	stette
dicemmo	facemmo	stemmo
diceste	faceste	steste
dissero	fecero	stettero

Other irregular verbs can be found in the Appendix on page 152.

6   Completate le frasi con le forme verbali del punto 5.

1. Ormai, dopo tanti anni, so bene che io .... male ad accettare la tua proposta.
2. Quel giorno .... una grande fortuna a incontrarti!
3. Quando sentii quelle parole gli .... un bacio.
4. Al concerto c'era tanta gente che Carla e Andrea .... in piedi tutta la sera.
5. Gli .... che lo avrei chiamato, però me ne dimenticai.

6 - 9

C   C'era una volta...

1   Completate la favola, scegliendo la parola opportuna tra quelle proposte in basso.

A sbagliare le storie

- C'era una volta una bambina che .....(1)..... Cappuccetto Giallo.
- No, Rosso!
- Ah, sì, Cappuccetto Rosso. La sua mamma la chiamò e .....(2)..... disse: Senti, Cappuccetto Verde...
- Ma no, Rosso!
- Ah, sì, Rosso. Vai dalla zia Diomira a portarle questa buccia di patata.
- No: vai dalla nonna a portarle questa focaccia.
- Va bene: La bambina andò .....(3)..... bosco e incontrò una giraffa.
- Che confusione! Incontrò un lupo, non una giraffa.
- E il lupo le domandò: Quanto .....(4)..... sei per otto?
- Niente affatto. Il lupo le chiese: .....(5)..... vai?
- Hai ragione. E Cappuccetto Nero rispose...
- Era Cappuccetto Rosso, rosso, rosso!
- Sì, e rispose: vado al mercato a comprare la salsa di pomodoro.
- Neanche per sogno: vado dalla nonna che è malata, ma non .....(6)..... più la strada.
- Giusto. E il cavallo disse...
- .....(7)..... cavallo? Era un lupo.
- Sicuro. E disse così: Prendi il tram numero 33, scendi in piazza del Duomo, ...(8)..... a destra, troverai tre scalini e un soldo per terra; lascia stare i tre scalini, prendi il soldo e comprati una gomma da masticare.
- Nonno, tu non sai proprio raccontare le storie, le sbagli .....(9)...... Però la gomma da masticare .....(10)..... compri lo stesso.
- Va bene: eccoti il soldo! E il nonno tornò a leggere il suo giornale...

da Favole al telefono di Gianni Rodari

1.	☐ a. si chiamò	☐ b. si chiamava	☐ c. era
2.	☐ a. le	☐ b. la	☐ c. si
3.	☐ a. nel	☐ b. sul	☐ c. in
4.	☐ a. costa	☐ b. è	☐ c. fa
5.	☐ a. Come	☐ b. Dove	☐ c. Quanto
6.	☐ a. so	☐ b. quando	☐ c. cammino
7.	☐ a. Chi	☐ b. Quale	☐ c. Quello
8.	☐ a. gira	☐ b. torna	☐ c. sali
9.	☐ a. alcune	☐ b. molte	☐ c. tutte
10.	☐ a. se la	☐ b. me la	☐ c. te la

2   Quali espressioni usa la bambina per contraddire quello che dice il nonno?

3   Nel testo ci sono alcuni verbi irregolari al passato remoto. Sottolineateli.

4 I verbi che al passato remoto presentano delle irregolarità (1ª e 3ª persona singolare, 3ª plurale), seguono però dei modelli comuni. In base a questa osservazione cercate di completare la tabella.

Verbi irregolari (II)						
molti verbi in -*dere* e -*ndere*						
verbo	*io*	*tu*	*lui/lei/Lei*	*noi*	*voi*	*loro*
chiedere	**chiesi**	chiedesti	**chiese**	chiedemmo	chiedeste	**chiesero**
chiudere	**chiusi**	chiudesti		chiudemmo		
decidere	**decisi**					
prendere	**presi**	prendesti	**prese**	prendemmo	prendeste	**presero**
rispondere	**risposi**					
in -*ncere* e -*ngere*						
vincere	**vinsi**	vincesti	**vinse**	vincemmo	vinceste	**vinsero**
convincere	**convinsi**					
piangere	**piansi**					
in -*gliere*						
scegliere	**scelsi**	scegliesti	**scelse**	scegliemmo	sceglieste	**scelsero**
togliere	**tolsi**					

The complete list of irregular verbs is in the Appendix on page 152.

10 - 12

D E la storia continua...

1 Lavorate in coppia. Fate l'abbinamento.

a. *Tempio della Concordia*, Agrigento (V* sec. a. C.) **c.** *Castel Nuovo*, Napoli (XIII sec.)
b. *Palazzo Ducale*, Venezia (XIV sec.) **d.** *Duomo*, Milano (XIV-XV sec.)

*The Roman numerals are in the Appendix on page 152.

2   Eravamo rimasti agli imperatori romani! Osservando la linea del tempo che segue, raccontate cos'è successo secondo l'esempio: "Nel 330 dopo Cristo Costantino trasferì la capitale
dell'Impero a Costantinopoli".

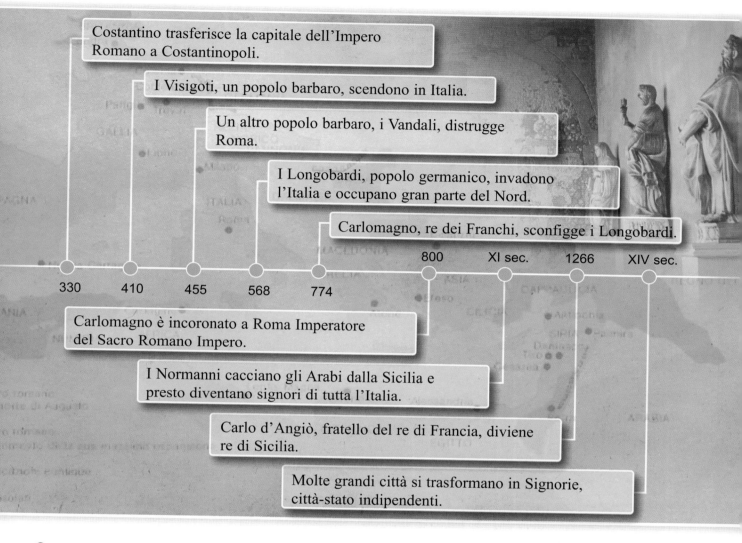

> Costantino trasferisce la capitale dell'Impero Romano a Costantinopoli.

> I Visigoti, un popolo barbaro, scendono in Italia.

> Un altro popolo barbaro, i Vandali, distrugge Roma.

> I Longobardi, popolo germanico, invadono l'Italia e occupano gran parte del Nord.

> Carlomagno, re dei Franchi, sconfigge i Longobardi.

800   XI sec.   1266   XIV sec.

330   410   455   568   774

> Carlomagno è incoronato a Roma Imperatore del Sacro Romano Impero.

> I Normanni cacciano gli Arabi dalla Sicilia e presto diventano signori di tutta l'Italia.

> Carlo d'Angiò, fratello del re di Francia, diviene re di Sicilia.

> Molte grandi città si trasformano in Signorie, città-stato indipendenti.

3   Osservate queste frasi e completate la tabella.   13 e 14

Dopo che i Franchi **ebbero sconfitto** i Longobardi, Carlomagno divenne imperatore.
Dopo che la famiglia dei Medici **fu salita** al potere, Firenze cominciò a fiorire.

Il trapassato remoto

Cambiai idea dopo che mi **ebbero raccontato** tutto.

Solo quando i giornalisti .... **entrati**, il presidente iniziò a parlare.

The *trapassato remoto* is rarely used in sentences introduced by **quando**, **dopo che**, **non appena**, **appena (che)**; it expresses an action that took place before another one expressed with the *passato remoto*.

---

15 e 16

4 Leggete i due testi e abbinate le affermazioni a quello corrispondente.

Perugia, Palazzo comunale e Fontana maggiore

Lorenzo il Magnifico

A

I Comuni

Dopo l'anno Mille, la piazza divenne il nuovo centro vitale delle città: nelle piazze principali di molte città italiane si trovano ancor oggi la cattedrale e i palazzi del potere cittadino.

In questo periodo le invasioni barbariche cessarono e, grazie alla ripresa del commercio, le città lentamente si svilupparono e diventarono Comuni, con consoli eletti direttamente dai cittadini.

La popolazione era allora divisa in tre classi: i nobili, ricchi proprietari di terra; i "borghesi", la nuova classe formata da mercanti e professionisti; infine, il popolo, cioè contadini e lavoratori che non avevano diritto di voto. La scelta del console, perciò, era ristretta alle famiglie più potenti della città, nobili e in seguito anche borghesi, che spesso entravano in conflitto tra loro.

B

Signorie e Principati

Nel XIV secolo molti Comuni, già in mano a poche famiglie ricche, videro l'ascesa di un Signore, che divenne capo assoluto della città. Questo potere si trasmetteva di padre in figlio e così i cittadini persero il diritto di eleggere i propri rappresentanti.

I Signori cercavano di espandere il proprio dominio ed erano frequenti guerre sanguinose con le città vicine: l'idea di un'Italia unita era ovviamente molto lontana.

Nello stesso tempo, alcuni Signori amanti della cultura chiamarono nelle loro corti i migliori artisti dell'epoca per abbellire le città di opere d'arte, che ancora oggi è possibile ammirare.

Tra queste famiglie ricordiamo a Firenze quella dei Medici, ricchi banchieri. Lorenzo De' Medici, detto *il Magnifico*, fece di Firenze una vera e propria città-museo. Altre famiglie che accolsero artisti nelle loro corti furono gli Sforza a Milano, gli Este a Ferrara e i Montefeltro a Urbino.

adattato da L'Italia dal Medioevo al Rinascimento

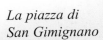

La piazza di San Gimignano

	A	B
1. Le città cominciano a rivivere.		
2. Nasce una nuova classe sociale.		
3. Le famiglie più potenti prendono il controllo.		
4. C'è un periodo di lotte tra le città.		
5. Gli abitanti hanno il diritto di eleggere il capo della città.		
6. Guerre e creazione artistica vanno di pari passo.		

Federico da Montefeltro

5 Nei due testi precedenti abbiamo visto gli avverbi "lentamente" e "ovviamente". Da quali aggettivi derivano? Osservate e completate la tabella:

Avverbi di modo

vero-vera	⇨ È **veramente** strano quello che ha detto.	
sincero-sincera	⇨ **Sinceramente** non mi va di uscire.	
ovvio-ovvia	⇨ Lui .... ha negato tutto!	-*a* ⇔ *amente*
deciso-decisa	⇨ Fulvio è **decisamente** simpatico.	
forte	⇨ Ha **fortemente** difeso le sue idee.	
apparente	⇨ **Apparentemente** ha fatto un ottimo lavoro.	-*e* ⇔ *emente*
veloce	⇨ Devi agire quanto più .... puoi.	
but: difficile	⇨ **Difficilmente** mi fido di lui.	
finale	⇨ Sono arrivati? ....!	*le* ⇔ *lmente*
particolare	⇨ Sono **particolarmente** curioso.	*re* ⇔ *rmente*

17 e 18

E   Abilità

1 **Ascolto** Workbook (p. 129)

2 **Parliamo**

1. Si dice "Popolo che non ricorda la sua storia non ha futuro". Cosa ne pensate?
2. Qual è il periodo della storia (del vostro paese o internazionale) che vi affascina di più e per quale motivo?
3. Che cosa sapete della vita quotidiana ai tempi dei Romani e nel Medioevo?
4. Quali sono gli avvenimenti più importanti della storia del vostro paese (nell'antichità o nell'epoca moderna)? Parlatene in breve.

Il banchetto di un Signore del '400

3 **Scriviamo**

1. Raccontate un avvenimento (o un periodo) della storia che ritenete molto importante o affascinante, giustificando anche la vostra scelta. *(100-120 parole)*
2. Un tuo amico, sapendo che studi l'italiano, ti chiede se sai qualcosa della storia d'Italia, dall'antichità a oggi. In base alle pagine precedenti e a quelle che seguono, scrivigli un'e-mail per riassumere in breve quello che ricordi. *(120-140 parole)*

Test finale

Brevissima storia d'Italia

Dalle Signorie al dominio straniero

Nel '400 l'Italia era divisa in Signorie, cioè in piccoli stati indipendenti spesso in lotta tra loro. Fu questo un periodo di intensa attività culturale, da cui prese origine il *Rinascimento*. La divisione del territorio italiano in piccoli stati, deboli di fronte alle grandi potenze europee dell'epoca, provocò frequenti occupazioni straniere. In pratica dal 1500 al 1800 l'Italia fu sempre in mani straniere: francesi, spagnoli e nell'Ottocento gli austriaci si contesero parti del territorio della Penisola tra guerre e distruzioni.

Alcuni stati, comunque, conservarono in gran parte la loro indipendenza, soprattutto le Repubbliche di Venezia e di Genova, il Ducato di Savoia (che comprendeva il Piemonte e la Sardegna) e lo Stato della Chiesa.

Verso l'Indipendenza

Nonostante tanti anni di occupazioni, a partire dal 1800 lo spirito d'indipendenza si diffuse a poco a poco lungo tutta la penisola. Nella seconda metà del secolo e dopo vari tentativi falliti, tutto cambiò grazie all'abilità diplomatica del conte di Cavour, primo ministro dello Stato del Piemonte, e al coraggio di uomini come Garibaldi, che con soli mille uomini

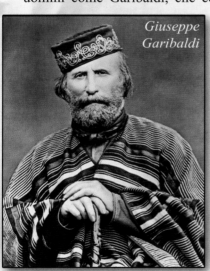

Giuseppe Garibaldi

liberò l'intera Sicilia e giunse fino a Napoli. Nel 1861 il Parlamento proclamò* Vittorio Emanuele II re d'Italia. Infine, nel 1870 l'esercito italiano entrò a Roma, che da secoli apparteneva allo Stato della Chiesa, trasferendovi la capitale del Regno d'Italia.

Dall'Unità al fascismo

All'indomani dell'Unità, l'Italia era però un Paese povero e con grandi differenze tra il Nord e il Sud. Tanta era la povertà che milioni d'italiani emigrarono* in America.

Nonostante i grandi problemi sociali interni, nel 1915 l'Italia partecipò alla I Guerra mondiale, dalla quale uscì tra i paesi vincitori, ma pagando un alto prezzo: ben 700.000 morti!

Dopo la guerra, tormentata* ancora da una grave crisi socio-economica, l'Italia vide l'ascesa* di Mussolini: è il cosiddetto "ventennio fascista" (1922-1943) durante il quale si creò un regime* autoritario* e antidemocratico, basato sulla violenza e la paura.

Mussolini, il *Duce*, cercò con la propaganda di otte-

SE TU MANGI TROPPO DERUBI LA PATRIA

Il regime cercava di controllare la vita degli italiani dovunque, perfino a tavola; altro famoso slogan dell'epoca era "Taci! Se parli tradisci la patria"! Erano arrivati ad abolire* la stretta di mano come saluto...*

nere il consenso* del popolo e di diffondere idee come la "superiorità" del popolo italiano e la gloria della patria. Il suo scopo era riportare l'Italia alle glorie dell'antica Roma, ma condusse il Paese alla disastrosa alleanza con Hitler e all'entrata in guerra nel 1941. Per l'Italia, la II Guerra mondiale finisce ufficialmente il 25 aprile 1945. Tre giorni dopo Mussolini moriva fucilato. Quando gli alleati arrivano nel Nord Italia, i partigiani, cioè i cittadini che durante la "Resistenza" presero le armi contro i nazisti e i fascisti, avevano già liberato molte città.

Leggete i testi di questa pagina e mettete in ordine cronologico gli avvenimenti.

☐ a. Garibaldi libera l'Italia del Sud.

☐ b. Il Nord Italia è sotto il dominio austriaco.

☐ c. Molti italiani emigrano all'estero.

☐ d. Roma diventa capitale d'Italia.

☐ e. Per l'Italia inizia la II Guerra mondiale.

☐ f. Mussolini prende il potere.

☐ g. L'Italia ha 700.000 vittime di guerra.

☐ h. In Italia nasce il Rinascimento.

Il dopoguerra, il "boom" economico, gli "anni di piombo"

Dopo la fine della guerra, l'Italia è un Paese da ricostruire completamente, sia dal punto di vista politico-economico che sociale.

Nel 1946 un referendum* popolare proclamò la fine della Monarchia e l'inizio della Repubblica mentre nel 1948 ci furono le prime elezioni realmente democratiche.

Negli anni '50 e '60 l'Italia visse un periodo di grande sviluppo, tanto che si parlò di "boom" economico (vedi pagina 36). Tuttavia restavano grandi le differenze tra il Nord e il Sud del Paese: molti furono coloro che emigrarono dalle regioni del "Mezzogiorno" verso i grandi centri industriali italiani (Milano e Torino) e del Centro Europa (Svizzera, Germania, Francia e Belgio).

Con gli anni '70 inizia uno dei periodi più sanguinosi* della storia italiana, quello del terrorismo: tra gli eventi più tristemente noti, il rapimento* e l'uccisione, nel 1978, di Aldo Moro, un importante uomo politico, e la strage* alla stazione di Bologna nel 1980, che provoca 85 morti e 200 feriti.

Tra il XX e il XXI secolo

Gli anni '80 sono un periodo molto diverso: "divertirsi", "comprare", "apparire", sono le nuove parole d'ordine, diffuse anche dai primi canali TV privati nazionali.

Gli anni '90 in Italia iniziano con un grande scandalo politico, chiamato "Tangentopoli" (o "mani pulite"), che porta alla luce un vasto sistema di corruzione* diffuso in tutto il sistema politico del Paese. In questo decennio ha inizio un altro fenomeno importante: l'arrivo di centinaia di migliaia di immigrati* provenienti dai paesi dell'Europa dell'Est, dall'Africa, ma anche dalla Cina e dai paesi arabi, che fanno dell'Italia un paese multietnico.

All'inizio del nuovo secolo, l'evento più importante è stato l'arrivo dell'euro, la moneta unica che dal 2002 ha sostituito le singole valute dei paesi europei, dando inizio a una nuova storia per l'Italia, ancora più legata al futuro dell'Europa.

> **Glossary:** proclamare: to proclaim; emigrare: to emigrate; tormentato: tormented, tortured; ascesa: ascent; regime: regime; autoritario: authoritarian; consenso: consensus; patria: native country; abolire: to abolish; referendum: referendum; sanguinoso: bloody; rapimento: abduction, kidnapping; strage: massacre; corruzione: corruption; immigrato: immigrant.

Leggete i testi e indicate le affermazioni veramente presenti.

☐ 1. Dal 1946 l'Italia non ha più un re.

☐ 2. La maggior parte degli immigrati provengono dall'Albania.

☐ 3. Grazie all'operazione "mani pulite" cambia la scena politica.

☐ 4. Negli anni '60 i lavoratori italiani emigrano anche verso altre città italiane.

☐ 5. Vittima del terrorismo è anche la gente comune.

☐ 6. Negli ultimi anni la situazione economica del Sud è migliorata molto.

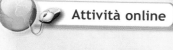

Attività online

Autovalutazione
Che cosa ricordate delle unità 3 e 4?

1. Sapete...? Abbinate le due colonne.

1. precisare
2. fare un paragone
3. chiedere informazioni
4. contraddire qualcuno
5. rispondere a un'accusa

a. Ma cosa dici?
b. Può dirmi il prezzo della matrimoniale?
c. Gli piace più viaggiare che lavorare.
d. Oggi. Voglio dire, stasera.
e. Posso spiegare tutto.

2. Abbinate le frasi.

1. Che lavoro fa?
2. Hanno litigato, eh?
3. Ti chiamo uno di questi giorni.
4. Mi hai un po' confuso.
5. Ti sei trovata bene?

a. Ci conto!
b. Allora mi spiego meglio.
c. Come a casa mia.
d. Mi sa che è ingegnere.
e. Niente affatto!

3. Completate o rispondete.

1. Due popoli che occuparono territori italiani nell'era moderna ....
2. Quanti anni durò il fascismo in Italia? ....
3. Quale dialetto fu alla base dell'italiano standard? ....
4. Il passato remoto di *fare* (terza pers. singolare): ....
5. L'avverbio che deriva da *facile* ....

4. Scoprite, in orizzontale e in verticale, le dieci parole relative alla storia e ai viaggi.

E	M	I	R	B	A	T	E	V	I
R	E	S	E	Q	G	I	S	U	S
I	D	U	S	U	E	P	E	G	B
L	I	S	I	G	N	O	R	I	A
A	O	P	S	O	Z	E	C	O	G
Z	E	S	T	B	I	K	I	D	A
F	V	I	E	M	A	S	T	Y	G
J	O	C	N	V	O	L	O	X	L
U	N	I	Z	P	O	R	T	O	I
E	S	F	A	S	C	I	S	M	O

**Verificate le vostre risposte a pagina 154.
Siete soddisfatti?**

Castello di Ferrara (Emilia Romagna)

Per cominciare...

1   Lavorate in coppia. Ascoltate solo le battute di Elisabetta cercando di capire che problemi ha Pierluigi e che soluzioni gli propone lei. Poi completate brevemente la tabella che segue.

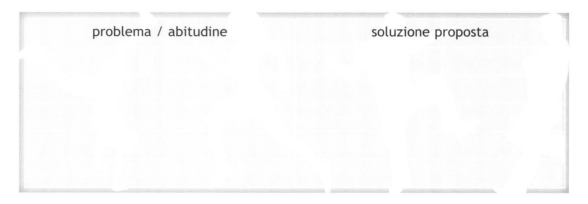

problema / abitudine	soluzione proposta

2   Secondo voi, quale abitudine di Pierluigi fa più male alla salute? E dei consigli di Elisabetta qual è il più importante? Scambiatevi idee.

3   Ascoltate l'intero dialogo e indicate le affermazioni veramente presenti.

    1. Pierluigi dorme circa 6 ore al giorno.
    2. Elisabetta crede che uno dei problemi di Pierluigi sia lo stress.
    3. Secondo Elisabetta, il sonno è importantissimo.
    4. Elisabetta crede che sia importante mangiare bene.
    5. Pierluigi va a letto molto tardi.
    6. A Pierluigi non piace fare sport.
    7. La fidanzata di Pierluigi è un tipo sportivo.
    8. Pierluigi pensa di andare in piscina.
    9. Elisabetta consiglia a Pierluigi di prendere delle vitamine.
    10. A Pierluigi piace l'idea delle vitamine.

In this unit... (Glossary on page 177)

1. ...we learn to express opinions, hopes, to make conditions to ask for and give permission to do something, to speak about healthy living
2. ...we get to know about the congiuntivo presente and passato and its use in subordinate clauses
3. ...we find information about Italians and sport

A Sei troppo stressato!

1 Leggete il dialogo per verificare le vostre risposte all'attività precedente.

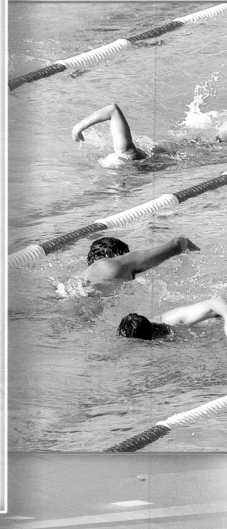

Elisabetta: Ultimamente hai una faccia stanca. Come mai? Non dormi abbastanza?

Pierluigi: Mah, veramente non molto. Spesso mi rigiro nel letto per ore. Ovviamente, il giorno dopo mi sento molto stanco, debole...

Elisabetta: Si vede, infatti. Secondo me, sei troppo stressato.

Pierluigi: Lo so, ma è possibile oggi non essere stressati, con questi ritmi frenetici? Tu come fai a essere sempre così fresca? La notte dormi parecchio, vero?

Elisabetta: No, non più di tanto. Il sonno è fondamentale, ma non pensare che sia sufficiente per stare bene. Per esempio, dubito che tu abbia mangiato qualcosa stamattina.

Pierluigi: Beh, è vero, ho bevuto solo un caffè, come al solito.

Elisabetta: Ecco, vedi? Allora è logico che tu non abbia energie. Non fai sport, o sbaglio?

Pierluigi: Ma con gli orari che ho, com'è possibile che io trovi il tempo per farlo?

Elisabetta: Almeno il fine settimana potresti fare jogging, no?

Pierluigi: Sì, ci manca solo questo! Mi pare di sentire la mia fidanzata! Lei va in piscina tre volte alla settimana e insiste perché faccia sport anch'io.

Elisabetta: E ha ragione, sei troppo pigro! Almeno prendi delle vitamine, in commercio esistono molti tipi di integratori, anche se non credo che basti...

Pierluigi: Invece sì! Questa è un'idea che mi piace! Penso proprio che questo sia più semplice che fare jogging!

2 Lavorate in coppia. Scegliete le affermazioni giuste.

1. Quando Elisabetta dice "non più di tanto" intende che: a. non dorme come un tempo, b. non dorme molto

2. E poi dice "Ecco, vedi?" come per dire: a. "Lo sapevo", b. "Hai capito?"

3. Infine, Pierluigi dice "Sì, ci manca solo questo!" perché: a. è da tempo che non fa jogging, b. non pensa proprio di fare jogging

3 Ormai Pierluigi sembra deciso a fare dei cambiamenti; ne parla, quindi, con la sua fidanzata, Chiara. Completate il loro dialogo con le parole date.

Pierluigi:	Sai, ultimamente mi sento un po' debole. Penso che ....**sia**.......... colpa del fatto che dormo poco.
Chiara:	Io credo che tu .... molto stressato, amore. E, poi, non mangi per niente bene, senza contare che dovresti fare più movimento...
Pierluigi:	Uffa, non ricominciare! Ok, hai ragione: è ora che io .... le mie abitudini!
Chiara:	Sì, dici sempre così, ma poi non lo fai mai!
Pierluigi:	No, no! Penso di ricominciare ad andare in palestra... almeno un paio di volte al mese! Poi dovrei dormire di più: credo che otto ore di sonno ....
Chiara:	Se guardi la tv tutte le sere fino all'una, non credo tu possa dormire molto.
Pierluigi:	È vero, basta anche con la tv! A meno che non ci sia qualche bella partita, ovvio, un bel film... E, infine, comprerò degli integratori, sembra che .... molto bene.
Chiara:	Tesoro, sono contenta che tu .... decisioni tanto importanti! Meglio tardi che mai! Spero però che questa volta tu .... veramente quello che dici!

cambi

abbia
preso

sia

sia

facciano

bastino

faccia

4 Rispondete alle domande. *(15-20 parole)*

1. Quali decisioni ha preso Pierluigi? ....

....

2. Su che cosa sono d'accordo Chiara ed Elisabetta? ....

....

5 Nel dialogo introduttivo abbiamo visto frasi come:

"...è logico che tu non *abbia* energie."

"Penso proprio che *sia* più semplice che fare jogging!"

Cercate di completare la tabella con le forme mancanti.

Congiuntivo presente

	are ⇨ i	ere ⇨ a	ire ⇨ a / isca
	parlare	**prendere**	**partire**
	Angela pensa che:	*Bisogna che:*	*È necessario che:*
io	parl**i**	prend**a**	part**a**
tu	parl**i**	....	part**a**
lui, lei	.... *molto.*	prend**a** *delle* *vitamine.*	part**a** *subito.*
noi	parl**iamo**	prend**iamo**	....
voi	parl**iate**	prend**iate**	part**iate**
loro	p**a**rl**ino**	pr**e**nd**ano**	p**a**rt**ano**

but:	**essere**	**avere**	**finire**
	Lei spera che:	*Può darsi che:*	*Anna vuole che:*
io	**sia**	**abbia**	fin**isca**
tu	**sia**	....	fin**isca**
lui, lei	.... *sempre*	**abbia** *ragione.*	fin**isca** *presto.*
noi	**siamo** *d'accordo.*	**abbiamo**	fin**iamo**
voi	**siate**	**abbiate**	fin**iate**
loro	s**ia**no	**abbiano**	fin**i**scano

6 Osservando la tabella formate delle frasi mettendo il verbo tra parentesi al congiuntivo.

1. Signorina, non è certo che il Suo volo *(partire)* in orario.
2. Bisogna che tu *(lavorare)* di meno, sembri molto stanco.
3. Se non spedisci il pacco subito può darsi che io non lo *(ricevere)* in tempo.
4. Mi pare che voi non *(avere)* voglia di lavorare seriamente.
5. È necessario che noi *(arrivare)* prima di loro.
6. Signora, mi sembra che Lei *(preoccuparsi)* senza motivo.

 1 - 3

7 Nelle pagine precedenti abbiamo incontrato le frasi: "dubito che tu *abbia mangiato* qualco-sa" e "sono contenta che tu *abbia preso* decisioni così importanti". **Osservate:**

Congiuntivo passato

Diana crede che io **abbia parlato** male di lei, ma non è vero.
Può darsi che **abbiano perso** il treno, per questo sono in ritardo.

Non credo che tu **sia venuta** solo per chiedermi scusa!
Sono contento che voi **siate riusciti** a superare il test finale.

Secondo voi, qual è la differenza tra il congiuntivo presente e quello passato?

4 - 6

B   Fa' come vuoi!

1 Ascoltate i mini dialoghi e abbinateli alle foto. Attenzione, c'è una foto in meno!

2 Ascoltate di nuovo e completate con le espressioni che avete sentito:

Permettere - Tollerare

1. .... 2. *Fa' come ti pare!*

3. .... 4. .... 5. ....

---

3 **Sei A: dici a B che:**

- *probabilmente farai tardi al vostro appuntamento*
- *gli/le comprerai qualcosa per il suo compleanno*
- *non gli/le puoi dare in prestito tutti i cd che ti ha chiesto*
- *devi assolutamente usare il suo cellulare*
- *vorresti usare di nuovo il suo computer*
- *prenderai la sua bici perché il tuo motorino non va*

Sei B: rispondi ad A usando le espressioni viste al punto 2.

4 Nei dialoghi precedenti, abbiamo incontrato alcuni verbi irregolari ("non credo tu *possa* dormire molto", "Spero però che tu *faccia* quello che dici"). Osservate e completate la tabella con le forme mancanti.

Verbi irregolari al congiuntivo

As you can see, the irregular forms of the *congiuntivo presente* are formed based on the first person singular of the *indicativo presente* of the verbs.

Infinito	Indicativo	Congiuntivo presente		
andare	vado	**vada**	**andiamo**	**andiate**	**vadano**
dire	dico	**dica**	**diciamo**	**diciate**	**dicano**
fare	faccio	....	**facciamo**	**facciate**	**facciano**
venire	vengo	**venga**	**veniamo**	**veniate**	**vengano**
potere	posso	**possa**	**possiamo**	**possiate**	....
but:					
dare	do	**dia**	....	**diate**	**diano**
dovere	devo	**debba**	**dobbiamo**	**dobbiate**	**debbano**
sapere	so	**sappia**	**sappiamo**	....	**sappiano**
stare	sto	**stia**	**stiamo**	**stiate**	**stiano**

A more complete list can be found in the Appendix on page 153.

5 **Completate le frasi osservando la tabella.**

1. È necessario che *(venire)* anch'io? Mi aspettano gli amici in piazza...
2. Non credo che quei due *(stare)* più insieme, probabilmente si sono lasciati.
3. Non è giusto che voi *(andare)* a spasso mentre io resto a casa a studiare!
4. Laura pensa che tu le *(dovere)* chiedere scusa per il tuo comportamento.
5. Ma è possibile che in questa casa nessuno mi *(dare)* mai una mano?
6. La mia ragazza vuole che io *(fare)* una vita più sana.

 7 e 8

C   Come mantenersi giovani

 1   Lavorate in coppia. In basso sono dati alla rinfusa alcuni fattori che ci mantengono giovani o che ci fanno invecchiare: inseriteli nella colonna che ritenete giusta e confrontate le vostre scelte con i compagni.

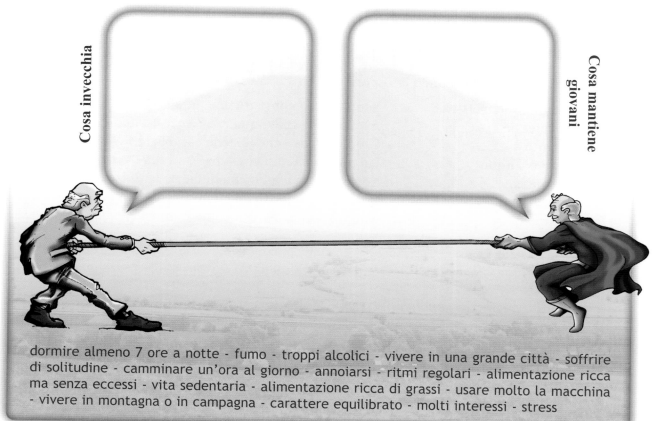

dormire almeno 7 ore a notte - fumo - troppi alcolici - vivere in una grande città - soffrire di solitudine - camminare un'ora al giorno - annoiarsi - ritmi regolari - alimentazione ricca ma senza eccessi - vita sedentaria - alimentazione ricca di grassi - usare molto la macchina - vivere in montagna o in campagna - carattere equilibrato - molti interessi - stress

2   Rispondete alle domande.

1. In base alle informazioni del punto 1, pensate di condurre una vita sana che vi aiuterà a mantenervi in forma anche in futuro? Parlatene.

2. In base alle informazioni ricavate dalla discussione in classe, consigliate a un vostro compagno cosa fare per migliorare la propria salute.

3. Osservate la foto a destra. Quanto credete sia equilibrata la vostra alimentazione (quantità - qualità)?

4. La lista di sopra vi ha convinto a cambiare qualcosa? In genere pensate di cambiare qualche abitudine?

3   Scrivete ad un amico una lettera in cui annunciate e motivate la vostra decisione di cambiare stile e ritmo di vita. *(100-120 parole)*

4 Secondo voi, quando usiamo il congiuntivo? In coppia, abbinate le due colonne, come nell'esempio. Verificate le vostre ipotesi a pagina 153.

Uso del congiuntivo (I)

We use the *congiuntivo* in sentences which are dependent on others and generally express subjectivity, will, uncertainty, personal feelings, etc, but only *when the two verbs have different subjects*. In particular when they express:

Opinione soggettiva	**Sono felice / contento che** tutto sia andato bene.
Incertezza	**Aspetto che** arrivi mia madre per uscire.
Volontà	**Credo / Penso che** tu debba accettare l'offerta.
Stato d'animo	**Ho paura / Temo che** lui se ne vada.
Speranza	**Voglio / Non voglio che** tu faccia tardi stasera.
Attesa	**Spero / Mi auguro che** tutto finisca bene.
Paura	**Non sono sicuro / certo che** Mario sia leale.

Careful! If a sentence expresses certainty or objectivity we use the *indicativo*:
-Sono sicuro che lui è un amico. / -So che è partito ieri. / -È chiaro che hai ragione.

Furthermore, the *congiuntivo* is used with verbs or forms that are **impersonal**:

Bisogna che voi torniate presto.
Può darsi che Tiziana non possa venire con noi.
Si dice che Carlo e Lisa si siano lasciati.
Pare / Sembra che siano ricchi sfondati.
È bene che siate venuti presto.
(non) {
È necessario / importante che io parta subito.
È possibile / impossibile che tutti siano andati via.
È probabile / improbabile che lei sappia già tutto.
}

The complete list of forms that require the *congiuntivo* are in the Appendix on page 153.

5 Usate il congiuntivo dove necessario, come nell'esempio.

> Luigi ha dei problemi. *(credo)*
> *Credo che Luigi abbia dei problemi.*

1. I nuovi giocatori sono veramente bravi. *(sono certo)*
2. Decide sempre lui, in fin dei conti è il capo! *(è giusto)*
3. Anna ce l'ha fatta da sola. *(dubito)*
4. Fa' presto! Siamo già in ritardo. *(bisogna)*
5. Vengono anche gli zii per le feste? *(sai se)*
6. La lezione sta finendo... sono stanco morto. *(spero)*

 9 - 11

D   Viva la salute!

1   Confrontate queste due foto. Quale tipo di esercizio fisico preferite e perché? Scambiatevi idee.

2   Lavorate in coppia. Ascoltate l'intervista all'istruttore di una palestra. Prendete appunti e confrontateli con quelli del vostro compagno.

3   Ascoltate di nuovo e indicate le affermazioni corrette.

1. La palestra è frequentata da persone
   a. prevalentemente anziane
   b. intorno ai 15 anni
   c. sui 40 anni
   d. dai 15 anni in su

2. I servizi offerti comprendono
   a. idromassaggio e tennis
   b. massaggio e sauna
   c. sport di squadra per bambini
   d. aerobica per bambini

3. Generalmente c'è più gente
   a. la mattina presto
   b. nel pomeriggio
   c. intorno alle 20.00
   d. dopo le 20.00

4. La palestra
   a. ha sempre più clienti
   b. ha sempre meno clienti
   c. ha meno clienti in estate
   d. ha più clienti dopo l'estate

4   Leggete queste affermazioni. A quali dei punti (1-4) dell'attività precedente corrispondono?

a. C'è chi si iscrive a una palestra *nonostante* finisca di lavorare tardi.
b. La palestra offre molti servizi *affinché* i clienti possano scegliere le attività che preferiscono.

5 Osservate di nuovo le frasi del punto precedente e poi la tabella che segue:

Uso del congiuntivo (II)

We also use the *congiuntivo* after some conjunctions:

benché / sebbene **nonostante / malgrado**	Luca mi ha invitato, **nonostante** mi *conosca* poco.
purché / a condizione che **a patto che / basta che**	Viene con noi, **a condizione che** *scelga* lei il locale.
senza che	Andrò allo stadio, **senza che** i miei lo *sappiano*.
nel caso (in cui)	**Nel caso** ci *sia* uno sciopero, vi verrò a prendere.
perché / affinché	Ti dirò tutto, **affinché** tu *capisca* che la colpa non è mia.
prima che	Dobbiamo fare gol **prima che** finisca il primo tempo. *but:* Passerò da casa mia *prima di venire* da te.
a meno che / (tranne che)	Verrà, **a meno che** non piova molto!

In Appendix on page 154, you will find other forms that require the *congiuntivo*.

6 Completate le frasi con le congiunzioni date a fianco.

1. Ti dirò cos'è successo, ... tu non lo dica a nessuno.
2. Le presterò il mio motorino, ... non abbia molta esperienza.
3. Rodolfo è qui alla festa .... nessuno lo abbia invitato.
4. Gli telefono subito, ... faccia in tempo a prepararsi.
5. .... siano divorziati, continuano a vivere insieme.

nonostante
sebbene
purché
affinché
senza che

12 - 15

7 Finora abbiamo visto due tempi del congiuntivo, il presente ("credo che lei *mangi* poco") e il passato ("credo che lei *abbia mangiato* poco"). Secondo voi, quando li usiamo? Osservate:

La concordanza dei tempi del congiuntivo

When the verb of the main sentence is in the *presente*, we have these alternatives:

Credo che Laura
- **faccia** / farà un buon lavoro. (*domani, nel futuro*)
- **faccia** un buon lavoro. (*oggi, nel presente*)
- **abbia fatto** un buon lavoro. (*ieri, nel passato*)

E   Attenti allo stress!

1   Chi di voi si sente stressato? Quali cose vi stressano e come reagite quando siete sotto stress?

2   Ogni cambiamento nella vita può causare stress. Quali sono, secondo voi, le prime cinque cause in questa lista elaborata da un gruppo di psicologi? Lavorate in coppia e alla fine scambiatevi idee tra coppie. (La lista completa in Appendice a pagina 156)

Cambiamento abitudini personali
Difficoltà economiche
Figlio/a che lascia la casa
Fine di una relazione sentimentale
Cambiamento situazione economica
Problemi familiari
Frequentare una nuova scuola

Esame importante
Perdita del lavoro
Gravidanza
Lite con un amico
Problemi nel lavoro / a scuola
Cambiamento di casa
Matrimonio

3   Ascoltate le persone che parlano e descrivete la situazione che affronta ognuno di loro.

Alfredo R., 30 anni: ....
Paola L., 24 anni: ....
Pietro M., 19 anni: ....
Domenico F., 28 anni: ....

4   Ascoltate di nuovo, questa volta consultando a pagina 156 la graduatoria che hanno preparato gli psicologi: quale persona è più stressata, secondo voi?

5   Osservate i disegni e raccontate, oralmente o per iscritto, la storia.

6 Leggete il testo e indicate le cinque affermazioni effettivamente presenti.

Come non parlare di calcio

Io non ho nulla contro il calcio. Non vado negli stadi per la stessa ragione per cui non andrei a dormire di notte nei sotterranei della Stazione Centrale di Milano, ma se mi capita mi guardo una bella partita con interesse e piacere alla televisione, perché riconosco e apprezzo tutti i meriti di questo nobile gioco. Io odio gli appassionati di calcio.

Non amo il tifoso perché ha una strana caratteristica: non capisce perché tu non lo sei, ma insiste nel parlarne con te. Per far capire bene cosa intendo dire faccio un esempio. Io suono il flauto dolce. Supponiamo ora che mi trovi in treno e chieda al signore di fronte a me, per attaccare discorso:
- "Ha sentito l'ultimo cd di Frans Bruggen?"
- "Come, come?"
- "Dico la *Pavane Lachryme*. Secondo me rallenta troppo all'inizio."
- "Scusi, non capisco."
- "Ah, ho capito, Lei non..."
- "Io non."
- "Curioso... Lo sa che per avere un flauto *Coolsma* fatto a mano bisogna attendere tre anni? Ma Lei ci arriva fino alla quinta variazione di *Derdre D'Over*?"
- "Veramente io vado a Parma..."
- "Ah, ho capito, Lei suona in F non in C. Non userà mica una tecnica tedesca?"
- "Io sinceramente i tedeschi..., la BMW sarà una gran macchina e li rispetto, ma..."
- "Ho capito. Usa una tecnica barocca. Ma..."

Ecco, non so se abbia reso l'idea. Lo stesso più o meno avviene con il tifoso. La situazione è particolarmente difficile con il tassista.
- "Ha visto Del Piero?"
- "No, deve essere venuto mentre non c'ero."
- "Ma stasera guarda la partita?"
- "No, devo occuparmi del libro Zeta della Metafisica, sa, lo *Stagirita*."
- "Bene. Io credo che non sia affatto facile vincere, Lei che ne dice?"

E via dicendo, come parlare al muro. Il problema è che lui non riesce a concepire che a qualcuno non importi niente di queste cose.

adattato da *Il secondo diario minimo* di Umberto Eco

1. Umberto Eco non è mai andato allo stadio.
2. Eco odia le persone che si interessano solo di calcio.
3. Nel primo episodio parla con un passeggero che va a Parma.
4. I due uomini non hanno gli stessi interessi.
5. Il passeggero preferisce la musica italiana a quella tedesca.
6. Il tassista è un amante del calcio.
7. Lo scrittore non sa a quale partita si riferisca il tassista.
8. A Eco dà fastidio il fatto che il tassista non ami la letteratura.

Umberto Eco al flauto dolce

7 Secondo voi, per quali motivi Eco non ama andare allo stadio? E a voi piace? Motivate le vostre risposte.

8 Abbiamo imparato quando si usa il congiuntivo, adesso impariamo quando non usarlo!

QUANDO *NON* USARE IL CONGIUNTIVO!

Careful!
We use the *infinito* or the *indicativo* e **not** the *congiuntivo* in the following cases:

stesso soggetto
Penso che tu *sia* bravo. ***but*** **Penso di** *essere* bravo. (io)

espressioni impersonali
Bisogna che tu *faccia* presto. ***but*** **Bisogna / È meglio** *fare* presto.

secondo me / forse / probabilmente
Secondo me, *hai* torto. / **Forse** lui non *vuole* stare con noi.

anche se / poiché / dopo che
L'Inter ha vinto **anche se** non *ha giocato* bene.

F Vocabolario e abilità

17 e 18

1 Abbinate gli oggetti agli sport. Cosa sapete e cosa pensate di ogni sport?

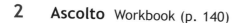

ciclismo   tennis   nuoto   calcio   pallavolo   pallacanestro

2 **Ascolto** Workbook (p. 140)

3 **Situazione**

Sei *A*: ultimamente sei ingrassato/a di qualche chilo. Un amico/un'amica (*B*) cerca di convincerti ad andare in palestra, o almeno a fare un po' di dieta, anche per motivi di salute. Ma tu, poiché sei un po' pigro/a, inventi sempre delle scuse.

4 **Scriviamo**

Negli ultimi 50 anni lo sport è diventato un importantissimo fenomeno sociale: sempre più spettatori e telespettatori, sempre più denaro investito. Però non mancano i problemi. Quali sono, secondo te? Nonostante questo, cosa ci offre lo sport? *(120-160 parole)*

➡ Test finale

Lo sport in Italia

Secondo un sondaggio Eurobarometro

Praticano un'attività sportiva o fanno esercizio fisico almeno una volta alla settimana:

Finlandesi e Svedesi	70%
Danesi	53%
Irlandesi	47%
Olandesi	43%
Spagnoli	32%
Italiani	31%
Portoghesi	22%
Greci	19%

Le prime 25 attività sportive praticate in Italia	
Calcio/calcetto	4.363.000
Nuoto	3.480.000
Ginnastica	2.204.000
Fitness/palestra	1.405.000
Sci/snowboard	2.060.000
Ciclismo	1.321.000
Tennis	1.298.000
Atletica leggera	995.000
Pallavolo	988.000
Pallacanestro	606.000
Bodybuilding	555.000
Danza	333.000
Pesca	323.000
Karate	244.000
Alpinismo*	197.000
Pesi	202.000
Bocce*	171.000
Pattinaggio	166.000
Equitazione*	156.000
Sub	143.000
Judo	136.000
Vela	127.000
Motociclismo	74.000
Golf	59.000
Tiro a segno	51.000
Tiro con l'arco	46.000

Come dimostra il sondaggio Eurobarometro, gli italiani non sono un popolo molto sportivo. Più che praticare qualche sport, preferiscono seguirlo dal vivo o in tv. Il grande successo delle trasmissioni e dei quotidiani sportivi ne è la prova.

Il **calcio** è senza dubbio lo sport più popolare e quello che ha portato i maggiori successi: la nazionale di calcio, i famosi *Azzurri*, ha vinto quattro volte i mondiali. D'altra parte, il *Campionato** italiano è molto spettacolare, poiché ospita anche grandi giocatori stranieri: le squadre italiane spendono grosse somme* per acquistare giocatori bravi e famosi, così sono riuscite a conquistare tantissimi titoli in campo nazionale e internazionale. L'antagonismo* è molto forte, specialmente tra squadre della stessa città: Milan e Inter, Juventus e Torino, Roma e Lazio.

La **pallacanestro** e la **pallavolo** sono sport molto seguiti e praticati. Le squadre italiane di pallacanestro hanno conquistato non pochi titoli a livello europeo e mondiale. Le squadre di pallavolo hanno fatto ancora di più: grazie anche al sostegno di grandi sponsor, sono da anni considerate le migliori del mondo; altrettanti successi ha ottenuto la nazionale.

Il **ciclismo** ha in Italia una lunga tradizione con molti praticanti dilettanti*, ma anche squadre di professionisti. Famoso è il *Giro d'Italia* le cui durissime tappe* coprono nei mesi di maggio-giugno l'intero paese e attirano non solo l'interesse di tanti spettatori e telespettatori, ma anche i migliori ciclisti del mondo, a caccia della mitica "maglia rosa".

L'**automobilismo** è molto seguito in Italia, soprattutto per merito della *Ferrari*. Non è tanto importante che vincano i piloti italiani di *Formula 1*, ma che la scuderia* di Maranello, che ha milioni di sostenitori in tutto il mondo, conquisti Gran Premi e Campionati, anche con piloti stranieri al volante*. Se il "cavallino rampante*" vince al Gran Premio di Monza, allora l'entusiasmo è ancora più grande.
Popolarissime sono anche le gare di moto, grazie ai successi dei piloti italiani, come ad esempio Valentino Rossi considerato tra i più grandi di tutti i tempi, ma anche della *Ducati*.
Sport, infine, come l'**atletica leggera**, il **nuoto** e lo **sci** hanno dato all'Italia importanti vittorie alle Olimpiadi e ai Campionati del mondo.

Glossary: <u>campionato</u>: championship; <u>somma</u>: sum, amount; <u>antagonismo</u>: antagonism; <u>dilettante</u>: amateur; <u>tappa</u>: stage, lap; <u>scuderia</u>: racing stable; <u>volante</u>: steering wheel; <u>rampante</u>: rearing on its hind legs; <u>alpinismo</u>: mountaineering; <u>bocce</u>: lawn bowling; <u>equitazione</u>: horseriding; <u>ridotto</u>: reduced, cut.

1. Le "Squadre Azzurre" di maggior successo sono quelle

☐ a. di ciclismo e di nuoto
☐ b. di calcio e di pallavolo
☐ c. di pallavolo e di pallacanestro
☐ d. di automobilismo e di atletica leggera

2. Le squadre italiane di calcio

☐ a. ottengono spesso successi a livello internazionale
☐ b. non hanno ancora vinto titoli europei
☐ c. non sono tanto ricche
☐ d. fanno giocare solo calciatori italiani

3. La *Ferrari*

☐ a. ha vinto più volte il Giro d'Italia
☐ b. ha sempre avuto piloti stranieri
☐ c. ha tifosi dappertutto
☐ d. ha sede a Monza

Il **calcetto** è uno sport molto diffuso in Italia. Si tratta di calcio giocato tra squadre di cinque giocatori, ovviamente in campi di misure ridotte*.

Il Giro d'Italia: una gara sempre durissima e, nello stesso tempo, affascinante.
Organizzato per la prima volta nel 1909 da La Gazzetta dello Sport *(il colore rosa della sua carta spiega il colore della maglia riservata al vincitore)*, copre circa 4.000 km. L'Italia può contare tra i più grandi ciclisti del mondo: Fausto Coppi e Gino Bartali *(foto in alto)* negli anni '40 e '50, Francesco Moser negli anni '80, Marco Pantani negli anni '90 e tanti altri.

La **ginnastica** (artistica e ritmica) ha dato all'Italia diverse soddisfazioni, con le "giovani-azzurre" che a volte hanno ottenuto dei buoni successi. Ma l'atleta più titolato è Jury Chechi, cinque volte campione del mondo e una volta olimpionico.

Ogni inverno milioni di italiani si dedicano allo **sci**, una disciplina sportiva che ha dato molte soddisfazioni all'Italia, soprattutto a partire dagli anni '70.

Attività online

83

Autovalutazione
Che cosa ricordate delle unità 4 e 5?

1. Sapete...? Abbinate le due colonne.

1. contraddire qualcuno
2. permettere
3. tollerare
4. esprimere incertezza
5. precisare

a. Vuoi invitare anche Carla? Fai pure!
b. A me non piace... però fa' come vuoi!
c. Non sono sicuro che sia andata così.
d. Lei è mia nipote, cioè la figlia di mia sorella.
e. Ma quale piazza, mamma? Sono stato a scuola!

2. Abbinate le frasi. Nella colonna a sinistra c'è una frase in più.

1. Alla fine pensi di studiare Medicina?
2. Mario lavora molte ore sebbene...
3. Ho saputo che si sono lasciati!
4. Finalmente si sposano!
5. Suo padre lo porta con sé affinché...
6. Ma tu perché hai detto questa cosa?

a. Già! L'ho capito quando ho visto Luisa da sola alla festa.
b. Neanche per sogno! Mi iscriverò a Farmacia!
c. ...impari presto il lavoro.
d. Così, per attaccare discorso.
e. Eh, meglio tardi che mai!

3. Completate o rispondete.

1. Lo sport di Fausto Coppi e quello di Valentino Rossi: ....
2. Altri due sport individuali che hanno dato vittorie all'Italia: ....
3. Due sport con il pallone: ....
4. Non richiede mai il congiuntivo: *perché / forse/ prima che*
5. Il congiuntivo presente (prima pers. sing.) di *leggere* e di *dire*: ....

4. Scegliete la parola adatta per ogni frase.

1. La Ferrari ha già vinto tre *gare/tappe/partite* di Formula 1 quest'anno.
2. Ti dirò tutto *tranne che/a patto che/nel caso in cui* tu non dica niente a nessuno.
3. Secondo me è *opportuno/impossibile/necessario* che Anna abbia parlato così.
4. Hai dei problemi perché non fai *buona alimentazione/sport/vita sedentaria*.
5. Per secoli l'Italia è stata sotto l'*immigrazione/indipendenza/occupazione* straniera.

Verificate le vostre risposte a pagina 154. Siete soddisfatti?

Pompei, Campania

Glossary on page 170

1 **Completate secondo il modello.**

> Antonio, mi porti la borsa?
> *Certo! Te la porto subito.*

1. Massimo, per favore, mi presti il tuo motorino?
   .... presterei, ma l'ha preso mio fratello.
2. Mamma, per piacere, mi daresti la tua sciarpa?
   .... do se farai attenzione.
3. Gianni, mi puoi portare i tuoi appunti?
   .... porterei, ma li ho già dati a Marco.
4. Carlo, mi offriresti un caffè?
   Entra! .... offro volentieri.
5. Roberto, mi presti la tua macchina?
   .... presterei volentieri, ma ha la batteria scarica.
6. Angela, per favore, mi compri *la Repubblica* e il *Corriere della Sera*?
   .... compro volentieri, vado proprio all'edicola.

2 **Come il precedente.**

1. Signorina, ci potrebbe prestare questi cd di Lucio Battisti?
   .... presto, ma non sono in buone condizioni.
2. Dino, quando ci farai vedere le ultime fotografie?
   .... farò vedere appena le avrò pronte.
3. Papà, mi presteresti la tua cravatta blu?
   .... presterò, ma solo per questa volta!
4. È vero che i Milani vi hanno regalato un bellissimo vaso cinese?
   Sì, è vero! .... hanno regalato per il nostro anniversario.
5. Mauro, perché ci chiedi dov'è il tuo motorino?
   .... chiedo perché lo avevate voi dieci minuti fa!
6. Ma chi vi darà tutti questi soldi?
   .... darà il padre di Aldo.

Lucio Battisti

3 **Completate le frasi con i pronomi combinati, secondo il modello.**

> Quando avrò finito di leggere il libro .... restituirò subito.
> *Quando avrò finito di leggere il libro te lo restituirò subito.*

1. Se vuoi questa rivista, ... compro volentieri.
2. Se vuoi queste riviste, ... compro volentieri.
3. Se Paolo vuole questo libro, ... porto io.
4. Se Anna vuole questi giornali, ... porto io.
5. Ti ricordi il libro che ti ho prestato? Quando .... restituisci?
6. Ti ricordi i libri che ti ho prestato? Quando .... restituisci?

4 Come il precedente.

1. Se i bambini vogliono quel giocattolo, ... compro io.
2. Se le tue figlie vogliono quei giocattoli, ... compro io.
3. Se volete conoscere quella ragazza, ... presento volentieri.
4. Se volete conoscere quelle ragazze, ... presento volentieri.
5. Papà, ci servirebbe la tua macchina: .... daresti per il weekend?
6. Papà, ci servirebbero 50 euro: .... daresti, per favore?

5 Completate le frasi con i pronomi combinati.

1. Ho ordinato una nuova macchina e .... consegneranno domani.
2. Ragazzi, sono arrivate le mie cugine dal paese e presto .... farò conoscere.
3. Signora, se desidera un succo di frutta, ... offro volentieri.
4. Ida, se vai a comprare il latte, ... prendi un litro di quello dietetico?
5. Quando verranno i tuoi genitori, ... farai conoscere?
6. Ragazzi, questo prodotto non è dei migliori e perciò non .... consiglio.
7. Carletto, non puoi mangiare tutti i cioccolatini: .... do solo due.
8. Dove troviamo due biglietti aerei per Londra? Non ti preoccupare, ...
   regalano i nostri genitori.

6 Collegate tra loro le frasi inserendo il corretto pronome combinato.

1. Ho finito il latte,
2. Se sei senza soldi
3. A Lucio hanno rubato la bicicletta:
4. Abbiamo già finito gli esercizi,
5. Se avete bisogno di fogli bianchi,
6. Se vogliono gli appunti,

| *ve ne* |
| *gliene* |
| *ce ne* |
| *te ne* |
| *me ne* |
| *gliene* |

diamo noi alcuni.
presto io una parte.
compri un litro?
regaliamo una noi?
dai degli altri?
do io un po'.

7 Trasformate le frasi secondo il modello.

> Se desideri quel disco, (*potere regalare*) io per il tuo onomastico.
> *Se desideri quel disco, posso regalartelo io per il tuo onomastico.*
> *Se desideri quel disco, te lo posso regalare io per il tuo onomastico.*

1. I documenti che mi hai chiesto (*potere mandare*) solo la prossima settimana.

   ....
   ....

2. Ho chiesto a Caterina il numero di telefono di Piero, ma non (*volere dare*).

   ....
   ....

3. Ti presto volentieri i miei cd, ma (*dovere restituire*) fra una settimana.

....

....

4. Se non conosci i fatti, (*potere raccontare*) io.

....

....

5. Ho bisogno di un buon caffè: signorina, (*potere preparare*) uno?

....

....

6. Se non conoscete il problema, (*potere parlare*) noi.

....

....

8 **Completate i mini dialoghi con le espressioni viste a pagina 13 dello *Student's book*.**

1. *Gianni:* ...., ma non ho fatto in tempo a passare dalla lavanderia!
   Tonia: ...., andrò io a ritirare il vestito nel pomeriggio.

2. *Impiegato:* ...., ma non posso rimanere, devo proprio andare via!
   Direttore: ...., chiederò alla signorina Renata di sostituirLa.

3. *Franco:* ...., ma non avevo nessuna intenzione di offenderti!
   Renato: ....; per fortuna, eravamo fra amici!

4. *moglie:* .... tanto, ma non posso capire il tuo atteggiamento!
   marito: ...., non ho bisogno della tua comprensione!

9 **Completate secondo il modello.**

1. Chi ti ha presentato Margherita?
   .... Giorgio.
2. Chi ti ha prestato il libro?
   .... Valeria.
3. Chi ti ha consigliato questa medicina?
   .... il farmacista.
4. Chi ti ha regalato questo romanzo?
   .... Giancarlo.
5. Chi ti ha dato questi cd?
   .... mio cugino.
6. Chi ti ha fatto queste belle fotografie?
   .... Angela.

Chi ti ha comprato tutte queste camicie?
Me le ha comprate mia moglie.

camicie

7. Chi ti ha dato il permesso di uscire?

.... il direttore.

8. Chi ti ha consigliato questo piatto?

.... il cameriere.

10 **Rispondete alle domande.**

1. Chi ti ha regalato questi orecchini?

.... mio marito per il mio compleanno.

2. Hai fatto vedere le nostre foto ai ragazzi?

No, ancora non .... vedere!

3. Chi ti ha detto che Francesco e Massimo sono partiti?

.... Anna Rita.

4. Il professore vi ha spiegato i pronomi?

No, non .... ancora.

5. Quando vi hanno consegnato la lettera?

.... una settimana fa.

6. Quanti esami ti hanno convalidato?

.... dodici.

11 **Completate come da modello.**

> Abbiamo ordinato una pizza e il cameriere ha portato (*a noi*) (*la pizza*) dopo un'ora.
> *Abbiamo ordinato una pizza e il cameriere ce l'ha portata dopo un'ora.*

1. Valerio mi ha chiesto la bicicletta e io ho prestato (*a Valerio*) (*la bicicletta*).

Valerio mi ha chiesto la bicicletta e io ....

2. Avevamo bisogno di una casa e anche se Riccardo ne aveva una libera non ha affittato (*a noi*) (*la casa*).

Avevamo bisogno di una casa e anche se Riccardo ne aveva una libera non ....

....

3. Serena colleziona schede telefoniche e io ho mandato (*a Serena*) (*alcune schede telefoniche*).

Serena colleziona schede telefoniche e io .... alcune.

4. Appena ho saputo la notizia ho comunicato (*a voi*) (*la notizia*).

Appena ho saputo la notizia ....

5. Il direttore ha voluto sapere ciò che era successo e io ho spiegato (*al direttore*) (*l'accaduto*).

Il direttore ha voluto sapere ciò che era successo e io ....

....

6. Francesca cercava una macchina fotografica e noi abbiamo prestato (*a lei*) (*la macchina fotografica*).

Francesca cercava una macchina fotografica e noi ....

12 Rispondete alle domande.

1. Ho saputo che hai telefonato a Rita! Ma chi ti ha dato il suo numero di telefono?
   (*dare*) .... lei stessa, quando ci siamo visti alla festa.

2. Perché Carla e Paola non sono venute?
   Perché i loro genitori non (*permettere*) ....

3. Chi Le ha raccontato questo fatto, signora?
   (*raccontare*) .... un'amica.

4. Cinzia sa che domani arriva Vittorio?
   Sì, lo sa, (*dire*) .... Luigi.

5. Verranno sicuramente tutti i tuoi amici?
   Sì, verranno tutti, (*promettere*) ....

6. È di Carlo quella bella macchina?
   No, (*prestare*) .... suo cugino.

13 Completate le risposte dandogli un carattere di sorpresa o incredulità.

1. Hai saputo che Attilio ha comprato una *Ferrari*?
   ....! Con il suo stipendio al massimo potrà permettersi una *Seicento*!

2. Mi ha telefonato Nicola e mi ha detto che si sposa fra una settimana.
   ....! Lui che era tanto contrario al matrimonio!

3. Sai che hanno arrestato Ilaria e Vanni?
   ....! Si tratta certamente di un errore!

4. Lo sai che vado per qualche giorno sulle Alpi?
   ....! Con questo tempo ti consiglio di andare al mare!

5. Hai saputo la novità? Hanno assunto Luciana come direttrice in un gran supermercato.
   ....! Questa sì che è una bella notizia!

6. Hai sentito che il padre di Antonio ha avuto un incidente?
   ....! Proprio lui, che è sempre così attento!

7. Lo sai che oggi le poste sono chiuse?
   ....! Come faccio a spedire questo pacco?

8. Caro Paolo, ti comunico che il direttore ci darà una settimana di ferie pagate!
   ....! Sarà sicuramente uno scherzo!

14 Completate con gli interrogativi.

1. .... stanno facendo i bambini?
2. .... vestito metterai per la festa di laurea di Ilaria?
3. Per .... sono queste bellissime rose rosse?
4. .... pensi di fare durante le vacanze?
5. .... ha chiamato?
6. Da .... hai appreso la notizia del matrimonio di Davide?

15 Come il precedente.

1. Oltre a Los Angeles, ... città visiterete in America?
2. .... colore, tra questi, preferisci?
3. .... Le posso offrire, signor Ballarin?
4. Per .... motivo ti dovrei credere?
5. .... ha preso i miei appunti?
6. Con .... pensate di partire, in treno o in aereo?

16 Completate le domande con gli interrogativi.

1. Di solito, ... ore studi al giorno?
2. .... non hai portato anche tua sorella?
3. .... esami ti restano per la laurea?
4. Da .... tempo studi l'italiano?
5. .... hai deciso di cambiare mestiere, il mese scorso?
6. Sai .... gente c'era alla festa?

17 Come il precedente.

1. Da .... importano questa frutta?
2. .... non cambi casa e vieni a vivere in centro?
3. .... chilometri dista Firenze da Bologna?
4. .... durerà ancora questa storia?
5. .... non dici come stanno veramente le cose?
6. .... strada ci rimane da fare?

18 Inserite gli interrogativi dati nelle frasi.

1. .... possiamo trovare un ristorante carino e a buon mercato?
2. .... vai in palestra, oggi o domani?
3. Secondo te, ... anni ha Silvia?
4. .... non cerchi di capire la situazione?
5. .... ragazze lavorano nella tua fabbrica?
6. .... arriverete a Milano?

quante
perché
quando
quando
quanti
dove

19 Completate con le preposizioni.

1. Se tu non ne hai voglia, vuol dire che andrò .... solo a mangiare .... ristorante.
2. Non riesco .... immaginare il tipo .... vita che conduce adesso che è diventato milionario!

3. Lisa ha una bellissima casa............... periferia, ... mezzo .... verde.

4. Milano Fiori si trova .... pochi chilometri .... Milano; è un centro residenziale molto .... moda.

5. Invece .... lavorare, ... questo momento vorrei essere .... mare insieme .... mia famiglia.

6. Se non la smetti .... ridere, mi offendo .... serio!

20 Scrivete i verbi che derivano dai seguenti sostantivi e formulate una frase con ciascuno di essi.

1. aiuto ....
2. amore ....
3. promessa ....
4. pronuncia ....
5. studio ....
6. risposta ....

21 Abbinate la professione con il verbo.

1. professore   a. progettare
2. autista   b. cantare
3. cantante   c. studiare
4. cameriere   d. servire
5. studente   e. guidare
6. architetto   f. insegnare

22 Ascolto

Ascoltate l'intervista ad un sociologo sull'abbandono scolastico e indicate l'affermazione giusta tra quelle proposte.

1. La dispersione scolastica è un fenomeno che riguarda soprattutto:
    a. gli adolescenti
    b. le ragazze
    c. i bambini con genitori separati

2. Uno dei problemi alla base del fenomeno è:
    a. la mancanza di comunicazione in famiglia
    b. la televisione poco educativa
    c. la scuola che annoia gli studenti

3. Secondo il sociologo i giovani di oggi hanno:
    a. meno problemi di un tempo
    b. troppe informazioni dai media
    c. professori che li aiutano molto

4. La scuola, gli insegnanti dovrebbero:

- [ ] a. considerare solo il rendimento dello studente
- [ ] b. far lavorare di più gli studenti in classe
- [ ] c. capire il disagio dello studente adolescente

TEST FINALE

A   Completate il dialogo con i pronomi combinati (seguiti, se necessario, dall'ausiliare *avere*) e la desinenza giusta del participio.

- Ciao Carla!
- Ciao Lucia!
- Che bella collana! È un regalo?
- Sì, ... regalat... Sergio per il nostro primo anniversario.
- Ah già, era il vostro anniversario! E tu, cosa gli hai regalat...?
- Avevo visto un orologio fantastico in un negozio in centro e .... regalat...
- Brava!
- Sì, ma sapevo che a lui piaceva: .... aveva dett... tante volte. E voi, avete idea di cosa regalarvi per il vostro anniversario?
- Non puoi immaginare cosa è successo! Il regalo più bello .... fatt... i miei genitori: ci hanno comprato due biglietti per una crociera nel Mediterraneo!
- Davvero? Magnifico! .... ho sempre dett... che hai due genitori meravigliosi!

B   Formulate le giuste domande a queste risposte:

1. ....? Giorgio si occupa di finanza.
2. ....? È un tipo simpatico e vivace.
3. ....? Oggi è venerdì 22.
4. ....? Gioco a tennis con Enzo.
5. ....? Stasera vorrei andare al cinema.
6. ....? Sì, c'era un sacco di gente!

C   Scegliete la risposta corretta.

1.   - (1)........................... che stasera facciamo una cena a casa mia? La solita compagnia.
      - No, non (2)........................... . A che ora?

(1)	a) Te l'ho detto	(2)	a) ce lo dici
	b) Gliel'ho detto		b) me l'avevi detto
	c) Te l'hanno detto		c) te l'abbiamo detto

2.   - Signora, (1)............................ io questa valigia così pesante!?
     - Sì, grazie. Veramente... ne avrei un'altra. (2)............................

     (1)   a) te la porto   (2)   a) Gliele potrei dare?
           b) gliela porto   b) Posso darla?
           c) me la porto   c) Gliela posso dare?

3.   Sono certo che Alessandra (1)............................ i soldi se tu (2)............................ in modo più
     cortese e convincente.

     (1)   a) ce li avrebbe prestati   (2)   a) gliel'avessi chiesto
           b) ve le avrebbe prestate   b) glielo avessi chiesti
           c) ce l'avrebbe prestati   c) gliel'avessi chiesti

4.   A: Amore, nel pomeriggio andiamo a vedere il nostro nuovo appartamento.
     B: No! (1)............................ Sei sicuro?
     A: Eh sì, è arrivato il momento.
     B: (2)............................ Finalmente avremo una casa tutta nostra!

     (1)   a) Non ci credere!   (2)   a) Chi l'avrebbe mai detto?!
           b) Quando?   b) Allora?
           c) Non è possibile!?   c) Scherzi?! Quale?

5.   - (1)............................ vuoi andare a vedere l'ultimo film con Brad Pitt?
     - Ah, anche oggi pomeriggio! Non sai da (2)............................ tempo lo aspetto!

     (1)   a) Che cosa   (2)   a) quale
           b) Quando   b) che
           c) Chi   c) quanto

6.   Luigi è al secondo anno (1)............................ di Medicina, dovrebbe (2)............................ l'anno
     prossimo.

     (1)   a) fuori causa   (2)   a) diplomarsi
           b) fuori concorso   b) laurearsi
           c) fuori corso   c) specializzarsi

D   Leggete le definizioni e risolvete il cruciverba.

ORIZZONTALI:
3. Si danno all'università.
7. In questo momento.
8. Sogno spaventoso.
9. La scuola ... è frequentata dai bambini tra i 6 e gli 11 anni.

VERTICALI:
1. Una parola di undici lettere per esprimere incredulità.
2. Come mai?
4. Chi vuole diventarlo, deve prima di tutto laurearsi in Giurisprudenza.
5. Vi mangiano molti studenti universitari.
6. Architettura, Giurisprudenza, Medicina: sono delle ... universitarie.

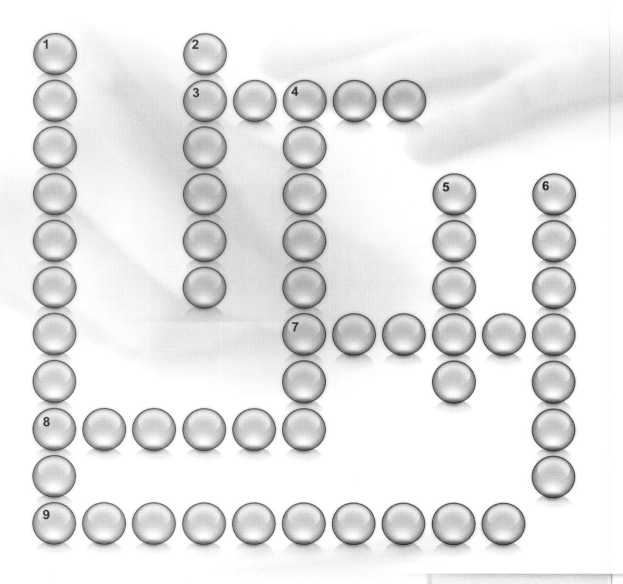

Risposte giuste: /38

Soldi e lavoro

Glossary on page 172

1 **Completate con i pronomi relativi, come da modello.**

> Cinzia è una ragazza .... ama molto stare a casa.
> *Cinzia è una ragazza che (la quale) ama molto stare a casa.*

1. Il medico .... ha operato mio padre insegna anche all'università.
2. Gli studenti stranieri .... frequentano il liceo scientifico *Galileo Galilei* sono più del 30%.
3. Al mondo esistono persone .... non hanno nessun tipo di problema?
4. Le persone .... vogliono parlare al cellulare devono uscire dall'aula.
5. Il fidanzato di Sonia, ... abita a Milano, arriverà a Roma col treno delle 10.
6. Il professore .... segue la mia tesi è uno storico molto famoso.
7. Non sopporto le persone .... parlano male degli altri.
8. Verranno anche gli amici .... abitano con Rosa.

2 **Rispondete alle domande come da modello.**

> Conosci Valeria?   (*frequenta il mio corso*)
> *Sì, è una ragazza che frequenta il mio corso.*

1. Conosci Bruno?   (*scrive sul giornale cittadino*)
   Sì, è ....

2. Conosci Ambra e Lelia?   (*frequentano la mia stessa facoltà, Psicologia*)
   Sì, sono ....

3. Conosci Lidia?   (*lavora alla Fiat*)
   Sì, è ....

4. Conosci Massimo e Gianna?   (*abitano nell'appartamento accanto al mio*)
   Sì, sono ....

5. Conosci Silvia e Tonino?   (*si vestono in modo strano*)
   Sì, sono ....
   ....

6. Conosci Francesco e Corrado?
   (*incontro ogni mattina alla fermata dell'autobus*)
   Sì, sono ....
   ....

3 Trasformate le frasi come da modello.

> Ho conosciuto un avvocato – questo avvocato sa il fatto suo.
> *Ho conosciuto un avvocato che sa il fatto suo.*

1. Gianni osservava dalla finestra le macchine – le macchine passavano.

....

2. Parlerò del tuo caso a mia cugina – mia cugina penso ci potrà aiutare.

....

3. Valeria ha un fratello – il fratello è innamorato di una mia amica.

....

4. Avete preso il treno – il treno non va a Roma.

....

5. Remo è un ragazzo – Remo non prende mai le cose sul serio.

....

6. Alla fine ho comprato quell'anello – desideravo quell'anello da tanto.

....

4 Rispondete alle domande secondo il modello.

> Chi è Marcella?   (*Gianni esce con lei*)
> *È la ragazza con cui* (*con la quale*) *esce Gianni.*

1. Chi è Fabiana?   (*ho regalato a lei una torta*)

....

2. Chi è Cristiano?   (*ho perso la testa per lui*)

....

3. Chi sono Sergio e Matteo?   (*di loro parla spesso mio fratello*)

....

4. Chi è Sara?   (*ci fidiamo di lei*)

....

5. Chi è Antonio?   (*ho abitato da lui per un anno*)

....

6. Chi sono Federica e Monica?   (*ho prestato a loro i miei appunti*)

....

5 Come il precedente.

> Chi sono Emma e Delia? (*parto con loro per le isole Tremiti*)
> *Sono le ragazze con cui parto per le isole Tremiti.*

1. Chi è Giovanna?   (*ho viaggiato con lei da Roma a Milano*)

....

2. Chi è Adriano?   (*ho dato a lui il mio biglietto della partita*)

....

3. Chi è Lorenzo?   (*è interessante parlare con lui*)

....

4. Chi sono Gioia e Ivano?   (*contiamo molto su loro*)

....

5. Chi è Antonella?   (*sono innamorato di lei*)

....

6. Chi sono Tiziana e Carlo?   (*esco ultimamente con loro*)

....

6   Unite le frasi utilizzando i relativi, come da modello.

> Sono tornato da un'isola – l'isola si trova vicino alla Spagna.
> *L'isola da cui sono tornato si trova vicino alla Spagna.*

1. Siamo ritornati con l'aereo – l'aereo è dell'Alitalia.

....

2. Prendo lezioni da un professore – il professore abita vicino a casa mia.

....

3. Sono andato da un avvocato – l'avvocato è bravo ma caro!

....

4. Fulvio scrive per una rivista – la rivista è molto famosa.

....

5. Stai bevendo in un bicchiere – il bicchiere è sporco.

....

6. Ho dato delle informazioni ad un turista – il turista era americano.

....

7   Come il precedente.

1. Hai messo il libro sul tavolo – il tavolo è molto antico.

....

2. Il treno si è fermato mezz'ora in una città – la città è famosa per il suo prosciutto.

....

3. Walter esce con una ragazza – la ragazza si chiama Eugenia.

....

4. Parlavamo prima di un ragazzo – il ragazzo è arrivato da poco.

....

5. Mario telefona tutte le sere ad una ragazza – la ragazza si chiama Paola.

....

6. Vado sempre da una parrucchiera – la parrucchiera è molto brava.

....

8   **Completate le seguenti frasi con i pronomi relativi.**

1. La città .... vivo è abbastanza tranquilla.
2. La carta di credito .... volevamo pagare era scaduta.
3. I miei amici sono le persone .... maggiormente mi fido.
4. So quanto è difficile la situazione .... ti trovi.
5. Darei non so cosa per vederti felice con la persona .... ami.
6. Ce ne siamo andati proprio nel momento .... è arrivato Riccardo.
7. È meglio non aprirsi tanto con le persone .... non conosciamo.
8. Non posso veramente capire il motivo .... vuoi cambiare lavoro!

9   **Completate con i pronomi relativi.**

1. Le persone .... verranno a cena sono le stesse .... ho viaggiato in aereo.
2. Salvatore e Rosalia sono i cugini .... vivono in Sicilia e .... ho passato la mia gioventù.
3. Gli appunti .... cerchi sono sul tavolo .... si trova il vaso dei pesciolini rossi.
4. Vorrei andarmene in un'isola .... non abita nessuno!
5. La casa .... abitiamo è un meraviglioso appartamento .... abbiamo ereditato da mio nonno.
6. Ti prego, non mi parlare di vacanze .... bisogna spendere tanti soldi!

10   **Completate con i relativi.**

1. Il telefonino è un mezzo .... abbiamo bisogno.
2. Il parrucchiere .... vai è lo stesso .... andava mia sorella.
3. Grazie, hai trovato proprio le parole .... avevo bisogno!
4. Non mi piacciono gli amici .... esci in questo periodo!
5. La persona .... ho affidato il lavoro ha un'esperienza di oltre 20 anni.
6. Sapete chi è la persona .... state parlando così male? ... Mio fratello!

11   **Collegate le due frasi come da modello.**

> Amo un ragazzo – gli occhi del ragazzo sono verdi.
> *Amo un ragazzo, i cui occhi sono verdi.*

1. Sono andato in una banca – i dipendenti della banca facevano sciopero.

....

2. Uso una crema idratante – gli effetti della crema sono miracolosi.

....

3. Ivo e Daniel, – i genitori di Ivo e Daniel vivono a Rio de Janeiro, telefonano spesso in Brasile.

   ....

4. Ecco il professor Marini – le conferenze del professore Marini sono molto interessanti.

   ....

5. Ho visto un film – il regista di questo film non deve essere tanto conosciuto.

   ....

6. Leggo un romanzo – l'autore del romanzo è molto noto.

   ....

7. L'Inghilterra è un paese – le tradizioni dell'Inghilterra sono antichissime.

   ....

8. Ho comprato una macchina – il prezzo della macchina era veramente vantaggioso.

   ....

12 Completate con le parole date nel riquadro.

1. .... cerca trova.
2. Dimmi .... vai e ti dirò chi sei!
3. Non ricordo .... è stata questa bellissima idea!!
4. È una situazione difficile: non so .... credere!
5. Beato .... ti capisce!
6. Dopo quello che è successo non sappiamo più .... contare.
7. Ho chiesto, ma non mi ha voluto dire .... ha avuto l'informazione.
8. Stai attento .... scegli come amico!

> *su chi*
> *chi*
> *chi*
> *a chi*
> *da chi*
> *di chi*
> *con chi*
> *a chi*

13 Completate le frasi utilizzando le espressioni date alla rinfusa.

> *colui che - coloro che - quello che - tutto quello che -*
> *chi - il che - coloro che - colei che*

1. Ricordati sempre di .... ti hanno aiutato!
2. Non fidarti di .... non conosci bene.
3. Brunella oltre ad essere una bella ragazza ha anche una bella casa, ... non guasta!
4. Spesso .... non si accontentano di quello che hanno, non vivono una vita tranquilla.
5. Non puoi immaginare .... è successo dopo che te ne sei andato.
6. Alessandro non aveva fame e non ha toccato niente di .... avevo preparato.
7. .... alla fine dell'anno avrà i voti più alti, vincerà una borsa di studio.
8. Regaleranno un simpatico gadget a tutte le ragazze presenti e una crociera a .... vincerà il titolo di "Miss Estate".

14 Completate le seguenti frasi con le espressioni *stare + gerundio* o *stare per + infinito*.

1. (*Fare*) .... la doccia, per questo non ho sentito il telefono.
2. Sono molte le persone che vanno via da quel Paese: al telegiornale hanno detto che (*scoppiare*) .... una guerra civile.
3. Perché hai quella faccia, Stefania? A cosa (*pensare*) ....?
4. (*Uscire*) ...., per questo non ho risposto al telefono.
5. (*Sposare*) .... un uomo orribile! Per fortuna l'ho capito in tempo!
6. - Giulia, cosa fai? Usciamo? - No, grazie! (*Leggere*) .... un bellissimo libro di Dacia Maraini e lo voglio finire prima di stasera.

15 Completate con le preposizioni.

1. Gli italiani, generalmente, vanno .... vacanza .... agosto.
2. .... il suo compleanno regalerò .... mia figlia un anello .... oro.
3. È .... un anno che ho cominciato .... studiare l'italiano, ma già posso capire abbastanza.
4. Mi sono sposata .... 18 anni e ho due figlie, una .... 15 ed un'altra .... 19 anni.
5. Quello che ti ho detto deve assolutamente rimanere .... noi, mi devi promettere che non dirai niente .... nessuno!
6. Non ti preoccupare, sarò sotto casa tua prima .... otto, ma se per caso farò tardi, aspettami .... fermata .... 15.
7. Sono rimasto .... ufficio tutta la giornata e adesso non vedo l'ora .... tornare .... casa.
8. Credi più .... me o .... quello che dicono i tuoi amici?

16 Completate le seguenti frasi scegliendo la parola opportuna tra le quattro proposte.

1. Non ho capito bene cosa ha detto .... c'era molto rumore.
   ▢ perciò ▢ quando ▢ siccome ▢ perché

2. Nessuno voleva prestargli gli appunti, ... glieli ho prestati io.
   ▢ così ▢ perché ▢ finché ▢ nonostante

3. Non avevo studiato molto .... ho preferito non dare l'esame.
   ▢ oppure ▢ ma ▢ perciò ▢ nonostante

4. Vengo a studiare da te .... preferisci venire a casa mia?

      ▢ ma   ▢ allora   ▢ o   ▢ quindi

5. Vorrei proprio sapere .... trova il tempo di fare tutto!

      ▢ anzi   ▢ allora   ▢ fino a   ▢ dove

6. Ha sempre avuto tutto dalla vita, ... non è mai soddisfatto!

      ▢ quindi   ▢ però   ▢ perché   ▢ così

17 Completate le frasi con i sostantivi corrispondenti agli aggettivi dati tra parentesi.

1. Non ho avuto nessuna .... a trovare la strada per casa tua. (*difficile*)
2. Durante il viaggio in treno per vincere la .... ho letto e ho dormito un po'. (*noioso*)
3. Per una volta che ha detto la ...., nessuno gli ha creduto! (*vero*)
4. In autostrada c'è sempre un limite di .... (*veloce*)
5. Come si dice in questi casi: tanto .... per niente! (*rumoroso*)
6. La .... di Venezia è famosa in tutto il mondo. (*bello*)

18 Inserite l'aggettivo corretto, e il suo contrario, in ogni frase. Attenzione: ci sono 2 aggettivi in più!

disoccupato - sconosciuto - forte - lenta - difficile - occupato veloce - facile - alto - chiusa - debole - conosciuto - aperta - basso

1. Un giocatore di pallacanestro è ....
2. Un esame che richiede molto studio è ....
3. Laura conosce poche persone, è una ragazza ....
4. Un giovane che è senza lavoro è ....
5. Giorgio Armani è uno stilista ....
6. Una macchina che va a 200 Km all'ora è ....

19 Completate, con le parole date nella pagina accanto, la lettera che Federico Blasi ha inviato alla *Starcom Italia*, un'azienda di telecomunicazioni che cerca un nuovo direttore del
personale.

Federico Blasi
Via G. Bruno, 156 - Milano

Uff. Personale
STARCOM ITALIA
Via Calatafimi, 341 - Milano

Milano, 12 settembre

In riferimento al vostro annuncio apparso in "Cercolavoro" del 9 settembre scorso, invio
alla vostra cortese (1)............................ il mio C.V.

Come potrete vedere, sono in possesso di molti dei requisiti da Voi (2)............................:
mi sono laureato in Economia e Commercio a pieni voti presso la Normale di Pisa e ho
conseguito un master (3)............................ Management presso l'Università Bocconi di
Milano. Precedentemente, ho ottenuto una (4)............................ di studio alla Princeton
University, negli Stati Uniti, dove ho (5)............................ circa un anno. Questa importante esperienza mi ha dato anche l'opportunità di perfezionare la mia (6)............................ del-
l'inglese, che ha ora raggiunto ottimi livelli.

Le mie competenze (7)............................ comprendono i più diffusi sistemi operativi e alcuni tra i più importanti software di scrittura e di grafica.

Non ho, è vero, una grande esperienza (8)............................: il mio primo impiego l'ho avuto due anni fa, come Responsabile Relazioni Estere, (9)............................ la *Sofydata* di
Milano, un'azienda che si occupa (10)............................ elettronica, dove tuttora lavoro. Si
tratta però di un'azienda che non offre molte prospettive e serie possibilità di carriera.

Questa è la ragione principale (11)............................ cui ho deciso di rispondere al vostro
annuncio: la mia ambizione infatti è ricoprire un posto di responsabilità all'interno di una
struttura lavorativa (12)............................ e di grandi dimensioni come la *Starcom Italia*,
(13)............................ cui poter dimostrare la mia professionalità e metterla a disposizione
dell'azienda.

In attesa di un vostro gentile riscontro, porgo i miei più (14)............................ saluti.

Federico Blasi

1.   a. attenzione   b. fiducia   c. gentilezza
2.   a. domandati   b. voluti   c. richiesti
3.   a. con   b. per   c. in
4.   a. valigia   b. borsa   c. corsa
5.   a. trascorso   b. letto   c. collaborato
6.   a. cultura   b. conversazione   c. conoscenza
7.   a. informative   b. informatiche   c. informali
8.   a. professionista b. teorica   c. lavorativa
9.   a. da   b. presso   c. in
10. a. di   b. con   c. da
11. a. a   b. con   c. per
12. a. azienda   b. importante   c. locale
13. a. da   b. in   c. con
14. a. cordiali   b. buoni   c. gentili

20 Ascolto

Leggete le affermazioni che seguono e dopo ascoltate l'intervista a un impiegato di banca. Indicate le cinque informazioni presenti.

1. La persona intervistata è il vicedirettore della banca.
2. Il sito web della banca fornisce informazioni in quattro lingue.
3. Prima di firmare un contratto è sempre bene leggere le condizioni.
4. La banca offre molti servizi di diverso genere.
5. Tra i servizi, sono incluse operazioni di borsa.
6. I clienti non amano molto usare i servizi online della banca.
7. Esistono carte di credito prepagate.
8. La banca offre servizi specifici per studenti stranieri.

TEST FINALE

A Completate il testo con i pronomi relativi.

Mauro e i "mammoni" italiani

Questa è la storia di Mauro, un ragazzo (1)............................ cerca un lavoro sicuro da anni, come molti altri giovani italiani della sua età. Mauro ha 34 anni, (2)............................ 10 passati a fare lavori precari, cioè non stabili, e senza contratto, brevi stage, collaborazioni di pochi mesi (3)............................ prospettive erano poche e molto limitate. Naturalmente, il lavoro (4)............................ lui preferirebbe fare è l'architetto, professione (5)........................... .... ha studiato molto e (6)............................ vorrebbe dedicarsi a tempo pieno, ma purtroppo è un campo (7)............................ è difficile entrare, soprattutto per (8)............................, come Mauro, è ancora considerato "giovane".

Un altro problema dell'Italia, infatti, è che sono considerati "giovani" tutti (9)...................... .... hanno fino a 30-35 anni, con il risultato che in Italia molti 35enni vivono ancora con i genitori, condizione (10)............................ si trovano spesso anche per necessità, visto che uno dei motivi (11)............................ non possono andare a vivere da soli è proprio la mancanza di un lavoro fisso per pagare l'affitto. È per questo che in Europa gli italiani sono famosi per essere "mammoni", cioè ragazzi (12)............................ vivono ancora sotto la "protezione" della mamma.

B Completate le frasi con i relativi dati.

> chi - il che - colui che - quelli che - coloro che - chi - chi

1. Chi cerca, trova. .... è quasi sempre vero.
2. .... fa per sé, fa per tre.
3. .... trova un amico, trova un tesoro.
4. Beati .... non pensano troppo, perché sono sempre felici.
5. L'ignorante non è .... non studia, ma .... non vuole capire.
6. Sono sempre .... amano troppo a soffrire di più!

C   **Scegliete la risposta corretta.**

1.   - Ho comprato un vestito nuovo (1)........................... desideravo da tempo.
       - Non capisco il motivo (2)........................... continui a spendere metà del tuo stipendio in vestiti.

(1)	a) la quale	(2)	a) per il quale
	b) cui		b) su cui
	c) che		c) che

2.   - "(1)........................... dorme non piglia pesci", lo sai?!
       - Sì, ma la cosa (2)........................... ho più bisogno adesso è dormire!

(1)	a) Chi	(2)	a) con cui
	b) Colui		b) il che
	c) Su cui		c) di cui

3.   "Gianni si è comportato male con me: (1)........................... non mi sembra giusto", diceva Mario
       a (2)........................... gli chiedevano spiegazioni sul suo comportamento.

(1)	a) il che	(2)	a) chi
	b) il cui		b) tutti coloro che
	c) di cui		c) i cui

4.   (1) .... Signor Carletti.
       (2) Le porgiamo .... saluti.

(1)	a) Egregio	(2)	a) Cordialmente
	b) Spettabile		b) Distinti
	c) Cordiale		c) Tanti

5.   La (1)........................... è la più grande industria automobilistica italiana e la sua sede centrale è a
       (2)........................... .

(1)	a) Generali	(2)	a) Maranello
	b) Fiat		b) Milano
	c) Telecom Italia		c) Torino

6.   Il (1)........................... di questa lettera commerciale è il nostro (2)........................... di Siena.

(1)	a) destinatario	(2)	a) edificio
	b) destinato		b) sportello
	c) destino		c) ufficio

D   **Leggete le definizioni e risolvete il cruciverba.**

ORIZZONTALI:
1. Chi desidera fortemente avere successo, potere e denaro.
4. Veicolo a due ruote, con motore e capace di raggiungere alte velocità.
7. Società di grandi dimensioni e di notevole importanza.

VERTICALI:
1. Grande strada extraurbana a pagamento, riservata al traffico veloce e vietata ai pedoni.
2. Tutto il settore relativo alla produzione, alla distribuzione e al consumo di beni e servizi di un paese.
3. Insegnante donna delle scuole elementari.
5. Interpretazione sbagliata delle parole o del comportamento altrui.
6. Chi trova un amico, trova un...

Risposte giuste: /39

1   Completate le seguenti frasi con il verbo *farcela* o *andarsene*.

1. Mamma, papà... finalmente ....: ho avuto quel posto di lavoro!
2. Se non ...., ti posso dare una mano.
3. Perché ieri sera Claudia .... senza salutare nessuno?
4. L'esame non è così difficile, sono sicuro che puoi ....!
5. Verremo sicuramente, ma .... presto.
6. Se quei ragazzi non .... subito, chiamo la polizia!

2   Formulate delle frasi secondo il modello.

> Carlo - alto - Angelo
> (+) *Carlo è più alto di Angelo.*
> (−) *Carlo è meno alto di Angelo.*
> (=) *Carlo è (tanto) alto quanto Angelo.*

1. Questo quadro - bello - quello
   (+) ....
   (=) ....

2. Marcella - simpatica - Monica
   (+) ....
   (−) ....

3. L'italiano - difficile - tedesco
   (−) ....
   (=) ....

4. Luigi - lavora - Stefano
   (=) ....
   (+) ....

5. I figli di Marco - educati - figli di Piero
   (−) ....
   (+) ....

6. La mia macchina - veloce - tua

(=) ....

(−) ....

3 **Completate con delle comparazioni secondo il modello.**

> Il vestito costa 100 euro, la gonna costa 50 euro. (*caro*)
> *Il vestito è più caro della gonna.*
> *La gonna è meno cara del vestito.*
>
> Il vestito costa 100 euro, la gonna costa 100 euro.
> *Il vestito è caro quanto la gonna.*

1. La mia valigia pesa 18 chili, la tua 8. (*pesante*)
   La mia valigia ....
   La tua valigia ....

   La mia valigia pesa 18 chili, anche la tua ne pesa 18.
   La mia valigia ....

2. Gianni ha sessantacinque anni, Claudio ne ha sessantatré. (*anziano*)
   Gianni ....
   Claudio ....

   Gianni ha sessantacinque anni, anche Claudio ne ha sessantacinque.
   Gianni ....

3. La mia casa ha 5 camere più servizi, la tua ha 3 camere più servizi. (*grande*)
   La mia casa ....
   La tua casa ....

   La mia casa ha 5 camere più servizi, anche la tua ha 5 camere più servizi.
   La mia casa ....

4. Roberto ha vinto al lotto 20.000 euro, Franco ne ha vinti 1.000. (*fortunato*)
   Roberto ....
   Franco ....

   Roberto ha vinto al lotto 1.000 euro, lo stesso anche Franco.
   Roberto ....

5. Quando vado al cinema mi annoio, quando vado in discoteca raramente. (*noioso*)
   Il cinema ....

   La discoteca ....

   Quando vado al cinema mi annoio, quando vado in discoteca anche.
   Il cinema ....

6. Eros Ramazzotti vende molto all'estero, Giusy Ferreri non tanto. (*conosciuto*)
   Eros Ramazzotti ....
   Amedeo Minghi ....

   Eros Ramazzotti vende molto all'estero, anche Tiziano Ferro vende bene.

   Eros Ramazzotti ....

4 **Dalle seguenti affermazioni deducete delle comparazioni, come nel modello dato.**

> Mario studia tre ore al giorno, Tonino cinque.
> *Mario studia meno di Tonino.*

1. In Italia la *Fiat* vende 130.000 macchine all'anno, la *Renault* 18.000.
   In Italia la *Fiat* vende ....

2. I calciatori guadagnano tanto, anche i giocatori di pallacanestro guadagnano tanto.
   I calciatori guadagnano ....

3. Renato ha visitato molti paesi, Livio pochi.
   Livio ha viaggiato ....

4. Lo stipendio di Alfredo è di 2.000 euro, quello di Franco non arriva a 1.500.
   Alfredo guadagna ....

5. Angela ha lavorato tutto il giorno, Roberta ha lavorato soltanto la mattina.
   Roberta ha lavorato ....

6. Silvia ha mangiato il primo, il secondo e il dolce; Luciana solo il secondo.
   Luciana ha mangiato ....

5 Formulate delle comparazioni scegliendo l'aggettivo giusto per ogni frase.

> *nutriente - prezioso - grande - veloce - lungo - piccolo*

1. Miele - zucchero
   Il miele è ....
2. Roma - Firenze
   Roma è ....
3. Argento - oro
   L'argento è ....
4. *Ferrari - Alfa Romeo*
   Una Ferrari è ....
5. Gatto - cavallo
   Il gatto è ....
6. Campo di calcio - campo da tennis
   Un campo di calcio è ....

6 Completate i mini dialoghi con le giuste forme di comparazione.

1. - Secondo me, domenica vincerà il Milan!
   - Ma non dire stupidaggini; quest'anno la Juventus è .... forte .... Milan.
   - Secondo me, la Juventus è .... fortunata .... forte.

2. - Patrizia è veramente una ragazza timida!
   - È vero, ma dovresti conoscere la sorella: è ancora .... timida .... lei.
   - Sì, l'ho conosciuta, ma la trovo .... riservata .... timida.

3. - Ti piace il mio nuovo stereo?
   - Sì, mi sembra decisamente .... bello .... quello che avevi prima!
   - Beh, quello di prima lo tenevo .... per ricordo .... per ascoltare musica.

4. - Perché viaggi in treno e non in aereo?
   - L'aereo sarà anche .... veloce .... treno, ma io ho paura.
   - Allora usa la macchina!
   - No, perché è .... comoda .... treno.

5. - Come va il tuo negozio di scarpe? Avete venduto molto?
   - Sì, quest'anno abbiamo venduto molte .... scarpe .... anno scorso.
     In particolare vendiamo .... scarpe da donna .... da uomo.

6. - Non so se Giacomo è più presuntuoso o più maleducato!

   - Secondo me è .... presuntuoso .... maleducato.

   - Tutto il contrario del fratello Riccardo!

   - Sì, è vero: Riccardo è molto .... simpatico .... Giacomo.

7   **Completate secondo il modello.**

> Scrivi molte e-mail ai tuoi amici?
> Mi piace *più* telefonare *che* scrivere.

1. Rita preferisce leggere o guardare la televisione?

   Rita lavora tanto, perciò la sera ha voglia .... di guardare la televisione .... di leggere.

2. Andiamo in macchina o in metrò?

   Con questo traffico, andare in metrò è .... comodo .... andare in macchina.

3. Che bella torta! È buona?

   Mah, secondo me questa torta è .... bella .... buona.

4. Dove fa più freddo, al sud o al nord?

   Al sud fa .... freddo .... al nord.

5. Sei ottimista o pessimista?

   In generale, sono .... ottimista .... pessimista.

6. Bevi più caffè o tè?

   Quando lavoro, bevo .... caffè .... tè.

8   **Completate le seguenti frasi.**

1. I Grandi sono ricchi o benestanti?

   I signori Grandi .... ricchi sono benestanti.

2. Oggi è facile trovare un lavoro?

   Veramente, oggi è .... difficile trovare un buon lavoro .... in passato.

3. Come mai vai tanto spesso a teatro?

   Il teatro mi affascina e perciò .... andare al cinema mi piace andare a teatro.

4. Perché non vai allo stadio?

   Non sono un vero tifoso: .... andare allo stadio preferisco vedere la partita alla TV.

5. Ti piace spendere o risparmiare?

   Purtroppo, spendere è .... facile .... risparmiare.

6. D'estate non deve essere piacevole rimanere in città.

   D'estate andare al mare è sicuramente .... piacevole .... restare in città.

9 **Come il precedente.**

1. Cristina studia l'inglese? Non l'avrei mai detto!
   Sai, imparare una lingua straniera è ormai .... una necessità .... una scelta.
2. Paola non scende mai a piedi.
   Chi abita al quarto piano .... scendere le scale a piedi prende l'ascensore.
3. Ultimamente Tonia esce spesso.
   Tonia è una ragazzina e naturalmente .... studiare le piace uscire.
4. Rosario non mangia mai fuori.
   Con il suo stipendio, mangiare a casa .... una scelta è una necessità.
5. Alessandro non mi ha salutato, forse non mi ha visto. È sempre così distratto...
   Secondo me, ... distratto è maleducato.
6. Alla festa del matrimonio di Margherita mi sono annoiato molto.
   Per forza: c'erano .... anziani .... giovani.

10 **Rispondete liberamente alle domande.**

1. Per te è più tranquilla la periferia o il centro della città?
   Per me è ....
2. Secondo te, Nicola è simpatico o affascinante?
   Secondo me, Nicola è ....
3. Costa di più l'argento o l'oro?
   L'argento costa ....
4. Andrai in vacanza in Tunisia o in Spagna?
   È difficile decidere perché mi affascina ....
5. Milano è grande come Genova?
   Sicuramente Genova è ....
6. Tu mangi più verdura o più carne?
   Io mangio ....

11 **Trasformate come da modello.**

> Delle scarpe belle - comode.
> Delle scarpe *tanto* belle *quanto* comode.
> Delle scarpe *più* belle *che* comode.

1. Un ragazzo furbo - intelligente.
   Un ragazzo ....
   Un ragazzo ....
2. Un film interessante - violento.
   Un film ....
   Un film ....

3. Uno spettacolo lungo - piacevole.
   Uno spettacolo ....
   Uno spettacolo ....
4. Una gita inutile - stancante.
   Una gita ....
   Una gita ....
5. Una signora elegante - affascinante.
   Una signora ....
   Una signora ....
6. Una moto rumorosa - veloce.
   Una moto ....
   Una moto ....

12 **Completate come da modello.**

> Carlo/romantico/miei amici.
> *Carlo è il più romantico dei miei amici.*

1. Questa qui/importante trasmissione/RAI.
   Questa qui è ....
2. Quest'anno la Roma/forte squadra/Campionato italiano.
   Quest'anno la Roma è ....
3. Febbraio/mese/corto/anno.
   Febbraio è ....
4. L'estate/stagione/calda/anno.
   L'estate è ....
5. Il diamante/preziosa/pietre.
   Il diamante è ....
6. Marta/piccola/mie nipotine.
   Marta è ....

13 **Completate con il superlativo relativo.**

1. Capri è .... bella isola .... Tirreno.
2. La Lombardia è .... ricca .... regioni italiane?
3. L'inquinamento è .... problema .... serio
   .... grandi città.
4. Secondo me, è Roma .... bella città .... mondo!
5. Queste scarpe sono .... care
   .... questo negozio.
6. La Scala è .... teatro lirico
   .... famoso .... mondo.

14 Completate le frasi con il superlativo assoluto degli aggettivi e degli avverbi.

1. La situazione non è soltanto grave, è ....
2. Per superare l'esame ha dovuto studiare molto, anzi ....
3. Non metterò mai più piede in quel ristorante: è molto caro, per non dire ....
4. Firenze non è semplicemente bella, è ....
5. Dopo una bella doccia calda mi sento bene, anzi ....
6. Quanto zucchero ha messo nel caffè? Non è dolce, è ....!

15 Formate delle frasi con il superlativo assoluto e il superlativo relativo, secondo il modello.

> Villa - bella - quartiere
> Questa villa è *bellissima*, ma non è *la più* bella *del* quartiere.

1. Quadro - prezioso - museo

....

2. Donatella - simpatica - famiglia

....

3. Esercizio di matematica - difficile - libro

....

4. Vino - buono - ristorante

....

5. Cellullare - piccolo - in commercio

....

6. Studente - bravo - scuola

....

16 In base alle informazioni date, scrivete più frasi possibili con le forme di comparazione conosciute finora.

1. *Monti: altezza*
   Monte Cervino: m. 4.476; Monte Rosa: m. 4.634; Monte Everest: m. 8.844

   ....
   ....

2. *Città: abitanti*
   Londra: 12 milioni; San Paolo: 25 milioni; Tokyo: 12 milioni

   ....
   ....

3. *Monumenti: periodo storico*
   Piramidi: 5000 a.C.; Partenone: V secolo a.C.; Colosseo: I secolo d.C.

   ....
   ....

4. *Fiumi: lunghezza*
   Nilo: 6.671 Km.; Gange: 2.510 Km.; Po: 652 Km.

   ....
   ....

5. *Animali: dimensioni*
   Elefante; topo; cane

   ....

6. *Automobili: prezzo d'acquisto*
   Ferrari F430: € 200.000; Golf GT: € 13.750; Fiat Bravo: € 18.500

   ....
   ....

17 Completate le frasi scegliendo tra le forme irregolari di comparativo e di superlativo.

superiore - ottimo - pessimo - massimo - superiore - peggiore

1. Questo è un caso che richiede la .... attenzione!
2. Siamo ultimi in classifica: la mia squadra è la .... del campionato.
3. Quest'anno abbiamo avuto un inverno caldo; infatti la temperatura era ....
   alla media stagionale.
4. Sono veramente soddisfatto: i risultati sono stati .... alle aspettative.
5. Non sono contento per niente; abbiamo pagato tanto e il servizio era ....
6. Abbiamo comprato la casa perché era in .... condizioni.

18 Come il precedente.

minore - inferiore - pessimo - massimo - superiore - peggiore - maggiore - ottimo

1. La nostra palazzina ha tre piani: io abito all'ultimo, al piano .... i miei genitori e al primo ci abita mia sorella.
2. Che schifo! Questo caffè è ....! Sicuramente il .... caffè mai bevuto!
3. Fernando è davvero antipatico: si crede .... a tutti solo perché è ricco!
4. A tennis, hai perso la partita perché non hai dato il ....
5. Ecco, questo è Carlo, il mio fratello ....: ha 2 anni più di me. Sara, invece, che ha compiuto ieri 8 anni, è la nostra sorella ....
6. Non dovresti rinunciare a questo lavoro, è davvero un' .... occasione per te!

19 Completate con le preposizioni i seguenti versi tratti da alcune famose canzoni italiane.

1. Lasciatemi cantare .... chitarra .... mano, lasciatemi cantare: sono un italiano. (Toto Cutugno, *L'italiano*)
2. Con te partirò, ... navi .... mari che io lo so, no no non esistono più... (Andrea Bocelli, *Con te partirò*)
3. Mi sono innamorato di te perché non avevo niente .... fare; il giorno volevo qualcuno .... incontrare, la notte volevo qualcuno .... sognare. (Luigi Tenco, *Mi sono innamorato di te*)
4. Sapore di sale, sapore di mare che hai .... pelle, che hai .... labbra, quando esci .... acqua e ti vieni .... sdraiare, vicino .... me, vicino .... me. (Gino Paoli, *Sapore di sale*)
5. Poi .... improvviso venivo .... vento rapito e cominciavo .... volare .... cielo infinito... Volare, oh oh, cantare oh oh oh... (Domenico Modugno, *Nel blu dipinto di blu*)
6. Azzurro, il pomeriggio è troppo azzurro e lungo .... me; mi accorgo .... non avere più risorse senza .... te. (Adriano Celentano, *Azzurro*)

20 Rispondete per iscritto al questionario di un albergo in cui avete alloggiato durante una vostra vacanza.

1. Motivo principale per cui ha scelto il nostro albergo.
   ....
   ....

2. È la prima volta che viene nel nostro albergo? Se non lo è, quando è venuto/a per la prima volta in uno dei nostri alberghi? Dove?
   ....
   ....

3. Tre aggettivi positivi e tre negativi per descrivere l'albergo.
   ....
   ....

4. Cosa non ha trovato in camera che avrebbe voluto trovare?
   ....
   ....

5. Cosa cambierebbe nel menù del ristorante?
   ....
   ....

6. Quali servizi, secondo Lei, dovrebbe aggiungere l'albergo?
   ....
   ....

21 Ascolto

Ascoltate l'intervista ad un albergatore e completate con le parole mancanti (massimo quattro parole).

1. Decisamente il periodo estivo (...); ci sono poi clienti ....
.... che vengono nella nostra città praticamente tutto l'anno.

2. Negli ultimi anni abbiamo avuto ....

3. Tra l'altro sono molto molto contento dei miei collaboratori, ...
...., molto professionali.

4. Inoltre, abbiamo .... privato, e poi...

5. È un po' il nostro punto di forza la cucina, che ....
...., permette
un po' di gustare tutti i sapori tipici della nostra regione.

6. ...sia a pranzo che a cena tutti i giorni c'è menù a
scelta ....
.... buffet con verdure fresche.

TEST FINALE

A   Alcune di queste frasi sono sbagliate: riscrivetele correttamente.

1. Per me è più importante parlare di scrivere in una lingua straniera.
....

2. Giorgio è il più alto tra la sua classe.
....

3. Giovanna è una ragazza tanto bella quanto simpatica.
....

4. Una villa è la più costosa di un semplice appartamento.
....

5. La mia casa è la più nuova della tua.
....

6. Scusami, ma non ho potuto trovare una sistemazione migliore.
....

B **a) Leggete la brochure e completatela con i nomi dei luoghi o dei monumenti che avete incontrato nei testi di *Conosciamo l'Italia* e che vi diamo qui alla rinfusa (San Pietro - Asinelli - Vesuvio - Colosseo - Maggiore).**

AGENZIA *EASYTOUR* DI FIRENZE
OFFERTE PER LE VACANZE DI PASQUA:
prenotate all'ultimo minuto!!

1. Roma - Napoli in pullman (4 GIORNI, 3 NOTTI) - Partenza: da Firenze
Primo giorno:
ROMA ANTICA: il Foro romano e il (1)........................; le catacombe sulla via Appia.
Secondo giorno:
LE PIAZZE DI ROMA: Piazza di Spagna, la Fontana di Trevi, Piazza Navona, il Campidoglio.
Pomeriggio: Piazza (2)........................ e il Vaticano.
Terzo giorno:
I MONUMENTI DI NAPOLI: Teatro San Carlo, il Maschio Angioino, il centro storico.
Quarto giorno:
DINTORNI DI NAPOLI: gita sul vulcano (3)........................, Pompei ed Ercolano.
A partire da 400 € a persona.

2. Una domenica tra i sapori e i colori di Bologna
MATTINA - I COLORI: il centro storico di Bologna, la Torre della Garisenda e degli
(4)........................ .
La cattedrale di S. Petronio, Piazza (5)........................ e Piazza del Nettuno.
POMERIGGIO - I SAPORI: assaggi di formaggi, salumi e degustazione dei migliori vini.
50 € a persona.

3. Palermo, capitale del Mediterraneo (2 GIORNI, 2 NOTTI) - Volo da Milano o Roma
PRIMO GIORNO - la Palermo araba e normanna: il centro storico, la chiesa di S. Giovanni degli Eremiti, la Torre Pisana.
SECONDO GIORNO - la Palermo barocca: le chiese e i palazzi del centro. Visita di Monreale.
320 € a persona.

---

b) Scegliete la risposta corretta.

1. Mi interessano le offerte dell'agenzia *Easytour* se voglio programmare:
a) la vacanza almeno tre mesi prima
b) delle vacanze per l'ultimo dell'anno
c) la vacanza all'ultimo momento

2. Se mi interessa la gastronomia scelgo la gita: [a]
a) a Roma
b) a Bologna
c) a Palermo

3. Se ho paura dell'aereo non scelgo sicuramente la vacanza:
a) a Roma
b) a Bologna
c) a Palermo

C   Scegliete la risposta corretta.

1. Per il nostro giardino, la pioggia è (1)............................ utile (2)............................ sole.

(1)   a) quanto
      b) come
      c) tanto

(2)   a) così il
      b) quanto il
      c) del

2. Tutti dicono che Laura è una ragazza (1)........................, ma secondo me è più dolce (2)............................ simpatica.

(1)   a) più simpatica
      b) simpaticissima
      c) più simpaticissima

(2)   a) di
      b) della
      c) che

3. Vincenza è (1)...................... della compagnia, ma a scuola prende sempre i voti (2)......................

(1)   a) la più maggiore
      b) la maggiore
      c) più grande

(2)   a) più bassi
      b) più inferiori
      c) più pessimi

4. Sono certo che (1)......................, sarai (2)......................!

(1)   a) te la farai
      b) ce la farai
      c) ce ne farai

(2)   a) il migliore
      b) il meglio
      c) il bravo

5. Carmelo Conti, un pizzaiolo italiano, molti anni fa (1)............................ a lavorare in America. Ora è diventato famoso perché ha fatto una pizza di 250m^2, (2)............................ mondo.

(1)   a) se ne andava
      b) se ne è andata
      c) se ne è andato

(2)   a) la superiore del
      b) la massima del
      c) la più grande del

Risposte giuste: /24

1º Test di ricapitolazione (Unità 1, 2 e 3)

A   **Rispondete alle seguenti domande.**

1. - Hai portato i libri a Maria?
   - Sì, ... due giorni fa.
2. - Quando vi hanno consegnato la macchina?
   - Non .... ancora.
3. - C'è una birra?
   - Nel frigo .... deve essere una ghiacciata, proprio come piace a te.
4. - Quando ci farai sapere se verrai anche tu a Pisa?
   - .... farò sapere entro domani.
5. - Ti è piaciuta la torta?
   - Sì, puoi dar .... un altro pezzo?
6. - Professore, nei nostri compiti ci sono molti errori?
   - Beh, ... abbastanza, ma pazienza: sbagliando, s'impara.

/6

B   **Completate con gli interrogativi adatti.**

1. .... farai adesso che tua moglie è partita?
2. .... volte devo dirtelo? Non voglio parlare più con lui!
3. Fra questi vestiti .... ti sembra più alla moda?
4. .... soldi hai con te?
5. A .... punto siete?
6. Per .... motivo mi cercavi?

/6

C   **Completate con i pronomi adatti.**

1. - Scusa, ... dai la penna (a me)?
   - Sì, ... do subito.
2. - Se vedi Filippo puoi dir .... di telefonar .... (a me)?
   - Sì, ... dico sicuramente.
3. - Ragazzi, siamo senza soldi, ... prestate 20 euro?
   - D'accordo, ... prestiamo!
4. - Ho telefonato a Giorgio, ma non .... ho detto la verità.
   - E perché non .... hai dett ....?
   - Perché mi vergognavo!
5. - Anna, hai visto Tommaso? Doveva darti un pacco.
   - Sì, ... ha dat ....

6. - Hai sentito? Nicoletta e Paolo hanno divorziato!
   - Chi .... ha dett ....?
   - .... ha dett .... Sonia, la sorella di Paolo.

/16

D   **Completate con i verbi dati tra parentesi.**

1. Gli ospiti (*andarsene*) .... molto soddisfatti.
2. Se troviamo un taxi forse (*farcela*) .... a prendere il treno.
3. Per favore, (*andarsene*) .... tutti! Voglio rimanere da solo.
4. Ragazzi, se volete potete (*andarsene*) ....
5. Sì, mia figlia ora lavora: (*farcela*) .... a vincere il concorso!
6. Teresa è andata via di casa perché non (*farcela*) .... più a vivere con i suoi.

/6

E   **Completate con i pronomi relativi.**

1. Questa è la persona .... ti ho parlato tante volte.
2. Chi sono Anna e Serena? Sono le ragazze .... ho conosciuto in Italia.
3. Questa è la casa .... ho abitato da bambino.
4. Non capisco il motivo .... non sei andato a lavorare.
5. Quello è il ragazzo .... è innamorata mia sorella.
6. Non sono molte le persone .... mi fido.

/6

F   **Completate le seguenti frasi.**

1. Maria è bella, ma secondo me, ... bella è simpatica.
2. Paolo è molto intelligente; infatti, è il .... intelligente .... sua classe.
3. Questo mese ho speso mille euro, il mese scorso ne avevo spesi 800: questo mese ho speso .... quello passato.
4. Quest'anno la nostra ditta non è andata molto bene per cui i guadagni sono stati .... all'anno precedente.
5. Francesco è veramente un bel ragazzo, ma che dico, è ....
6. Non mi sono divertito per niente e sono stato male per diversi giorni: ho passato le .... vacanze della mia vita.
7. Nessuno può dire che una cultura è .... a un'altra.
8. Non c'è differenza, per me il caffè è buono .... il tè.

/8

Risposte giuste: /48

Glossary on page 177

1 Inserite il verbo alla corretta persona plurale del passato remoto.

> Io finii prima del previsto.
> *Noi finimmo prima del previsto.*

1. Arrivai a Roma che era già notte.
   Noi .... a Roma che era già l'alba.
2. Comprai questa casa 10 anni fa.
   Voi quando .... la vostra casa?
3. Romina, dopo otto anni, scoprì di non amare più suo marito.
   Gianni e Romina, dopo otto anni, ... di non amarsi più.
4. Capii subito che non diceva la verità.
   Noi .... subito che non diceva la verità.
5. Alla festa di Stefania mi divertii come un matto.
   Alla festa di Stefania ci .... come matti.
6. Io finii prima di loro.
   Voi quando ....?

2 Mettete al passato remoto il verbo tra parentesi.

1. Noi (*accompagnare*) .... Roberto alla fermata del metrò.
2. Tonino e suo fratello (*abitare*) .... per dieci anni in via Asiago.
3. Voi (*partire*) .... per la Germania giovanissimi.
4. Loro (*credere*) .... a tutto quello che avevano ascoltato.
5. Io (*temere*) .... per il peggio, ma poi tutto andò bene.
6. Tu, (*andare*) .... a trovare Mario quando era malato?

3 Completate secondo il modello.

> (*fondare*)   Chi *fondò* Roma?

1. (*capire*)   I ragazzi non .... che tu scherzavi.
2. (*cominciare*)   Quando .... ad occuparti di computer?
3. (*bruciare*)   Non è certo che Nerone .... Roma.
4. (*scoprire*)   Cristoforo Colombo .... l'America
                     per caso.
5. (*assassinare*)   I senatori stessi .... Giulio Cesare.
6. (*morire*)   Mozart .... a soli 35 anni!

4   Come il precedente.

1. (*emigrare*)   Milioni di italiani .... negli Stati Uniti.
2. (*partire*)   Silvia e Federico .... senza salutarci.
3. (*trovare*)   Noi .... la strada da soli.
4. (*parlare*)   I due soci .... a lungo prima di decidere.
5. (*sentire*)   Per un lungo periodo di tempo, io non .... parlare di lui.
6. (*inventare*)   Nel 1896 Guglielmo Marconi .... il telegrafo senza fili.

5   Completate con le espressioni date.

voglio dire - mi spiego - in che senso - cioè - vale a dire - nel senso che

1. Forse non sono stato abbastanza chiaro e allora .... meglio.
2. La sua mi sembra una storia molto strana, ... molte cose non coincidono.
3. Non ho soldi, ... che non andrò in vacanza.
4. .... non trovi giusto il mio modo di fare?
5. Quando dico che probabilmente ci vedremo, ... che forse verrò!
6. Il direttore mi ha detto di non aver più bisogno di una segretaria: da domani, ...
   ...., sono disoccupata!

6   Completate secondo il modello.

(*essere*)   Ricordo che in quell'occasione, voi non *foste* per niente gentili con gli ospiti.

1. (*avere*)   I nostri vicini .... un incidente, ma senza gravi conseguenze.
2. (*dire*)   .... che sarebbero passati, ma poi non si sono visti.
3. (*stare*)   I ragazzi .... ad ascoltare in silenzio i rimproveri dei loro genitori.
4. (*dare*)   Io non .... subito una risposta.
5. (*essere*)   Quanti .... i re di Roma?
6. (*dire*)   Quella sera tu .... alcune cose non proprio belle su di lui.

7   Come il precedente.

1. (*avere*)   Giulio Cesare .... un figlio da Cleopatra.
2. (*essere*)   La nostra .... veramente un'esperienza unica!
3. (*restare*)   C'era tanta gente sul treno che io e mia madre .... in piedi per tutto il viaggio!
4. (*dire*)   Simona gli .... chiaramente di andarsene, ma Antonio faceva finta di non capire.
5. (*dare*)   Loro mi .... tanti buoni consigli.
6. (*fare*)   L'anno scorso, Marina e Giorgio ....
   un bellissimo viaggio in Cina.

8 Trasformate secondo il modello. Consultate anche l'Appendice grammaticale.

> Non ci sono andato perché il giorno dopo dovevo alzarmi presto.
> *Non ci andai perché il giorno dopo dovevo alzarmi presto.*

1. Il professore ha tenuto una splendida lezione sugli antichi Romani.
   ....
2. Avevano detto che sarebbero rimasti solo due giorni.
   ....
3. Ho capito subito che non c'era niente da fare!
   ....
4. Sono stato male per tre giorni.
   ....
5. Abbiamo ricevuto l'invito troppo tardi, per questo non ci siamo andati.
   ....
6. È venuto direttamente dall'ufficio.
   ....

9 Mettete al passato remoto il verbo tra parentesi.

1. Gianna e Mario (*dire*) .... di non saper nulla di quella storia.
2. Quando (*essere*) .... certa del suo amore, (*sposarlo*) ....
3. Tre anni fa (*noi andare*) .... in Tunisia e (*noi comprare*) .... un sacco di cose inutili.
4. Siccome aspettavo alcuni colleghi per cena, (*mettere*) .... in ordine la casa.
5. Alla fine, (*tu fare*) .... in tempo a prendere l'aereo?
6. Sara e Walter non (*dare*) .... l'esame perché non erano preparati.

10 Rispondete alle domande secondo il modello. Consultate anche l'Appendice grammaticale.

> Perché non hai risposto alle mie e-mail?
> *Non risposi alle tue e-mail perché non le avevo ricevute.*

1. - Perché non hai chiesto scusa?
   - Non .... scusa perché avevo ragione.
2. - Quando è successo tutto questo?
   - .... subito dopo la vostra partenza.
3. - Come hai convinto tuo fratello a uscire con te?
   - Come lo .... una settimana fa: gli ho detto che c'era Elena!
4. - Mi hanno detto che hai pianto dopo la fine del film; è vero?
   - Sì, l'ultima volta che .... così tanto fu quando ero bambina.

5. - Perché non hai chiesto il mio parere prima di acquistare la macchina?
   - Semplice! Perché tu non .... il mio!
6. - Quando hai preso le ferie l'anno scorso?
   - L'anno scorso le .... a Ferragosto: mai più!

11 Mettete al passato remoto il verbo tra parentesi.

1. Fra tanti paesi, i ragazzi (*scegliere*) .... di passare la luna di miele a Malta.
2. Tanti anni fa (*io cadere*) .... dalle scale.
3. Francesca non (*volere*) .... rimanere, nonostante le nostre insistenze.
4. Io non (*scendere*) .... subito perché non avevo sentito il citofono.
5. Alla mia domanda (*lui rispondere*) .... negativamente.
6. Loro (*discutere*) .... per ore di un problema, secondo me, inesistente.
7. Marco e Rosa (*esprimere*) .... con chiarezza il loro punto di vista.
8. Quando (*lui venire*) .... a trovarci abitavamo ancora in via Moretti.

12 Trasformate secondo il modello.

> Gli ho chiesto se poteva prestarmi la sua macchina.
> *Gli chiesi se poteva prestarmi la sua macchina.*

1. I volontari hanno raccolto tutti i rifiuti che c'erano nel parco.
   ....

2. Questo scrittore è nato quando la guerra era appena finita.
   ....

3. Avevo un fastidioso mal di gola, perciò ho smesso di fumare.
   ....

4. Enrico Fermi ha vinto il premio Nobel per la Fisica nel 1938.
   ....

5. Il discorso del sindaco non ha convinto nessuno!
   ....

6. Alla festa di Paolo ho ballato tanto e alla fine ero sfinito.
   ....

13 Trasformate le frasi.

> 1968   Scoppia il Maggio francese.
> *Nel 1968 scoppiò il Maggio francese.*

1. *1492* Muore Lorenzo il Magnifico, signore di Firenze.
   ....

2. *1798* Nasce a Recanati il poeta Giacomo Leopardi.
   ....

3. *1934* L'Accademia di Svezia assegna il Nobel per la Letteratura a Luigi Pirandello.

....

4. *1963* A Dallas muore in un attentato John Kennedy.

....

5. *1978* Le Brigate Rosse rapiscono Aldo Moro.

....

6. *2006* L'Italia conquista i Mondiali di calcio.

....

14 La favola di Pinocchio: completate le frasi con i verbi al passato remoto o all'imperfetto e rimettete in ordine le sequenze della favola.

A In poco tempo Geppetto (*finire*) .... il suo burattino, completo di braccia, mani, gambe e piedi.

B C'era una volta Geppetto, un vecchio falegname che (*vivere*) .... da solo in una piccola casa con la sola compagnia di un piccolo gatto e un pesce rosso.

C Dopo gli occhi, (*fare*) .... il naso, ma il naso, appena fatto, (*cominciare*) .... a crescere e (*diventare*) .... in pochi minuti un naso lunghissimo, impossibile da tagliare.

D Un giorno, Geppetto (*decidere*) .... di costruire un burattino per avere qualcuno con cui parlare; allora (*prendere*) .... un grande pezzo di legno, gli attrezzi e (*cominciare*) .... a lavorare.

E Per cominciare gli (*fare*) .... il viso, i capelli e gli occhi e gli (*scegliere*) .... un nome: Pinocchio. (*Stupirsi*) .... molto quando (*vedere*) .... che gli occhi di Pinocchio (*muoversi*) .... e lo (*fissare*) ....!

F Appena finito, il burattino (*alzarsi*) .... e (*cominciare*) .... a camminare! Geppetto non (*credere*) .... ai suoi occhi! Il burattino (*camminare*) .... e (*parlare*) ....!

G Dopo il naso (*fare*) .... la bocca; ma la bocca, appena fatta, (*cominciare*) .... a ridere e poi (*tirare*) .... fuori la lingua.

La sequenza giusta è: ....

15 **Completate secondo il modello.**

> Lo scusai dopo che (*ascoltare*) *ebbi ascoltato* le sue ragioni.

1. Appena (*ricevere*) .... i documenti, mi iscrissi all'università.
2. Me ne andai dopo che (*spiegargli*) .... il mio punto di vista.
3. Dopo che (*leggere*) .... la notizia sul giornale presero subito l'aereo e tornarono a casa.
4. Mio padre cambiò la sua macchina appena (*avere*) .... un aumento di stipendio.
5. Monica ci parlò di Vittorio dopo che lo (*sposare*) ....!
6. Non appena sua madre (*partire*) ...., Eugenia si mise a piangere.

16 **Come il precedente.**

1. Appena (*prendere*) .... la laurea in Medicina, aprii uno studio medico in centro.
2. Non appena l'autobus (*partire*) ...., mi ricordai di non aver preso il mio computer portatile.
3. Nino si licenziò dalla sua ditta quando (*ricevere*) .... un'offerta migliore.
4. Dopo che (*aspettare*) .... più di mezz'ora, si ricordarono che di sabato le banche sono chiuse.
5. Morena poté avere il permesso di soggiorno dopo che (*superare*) .... una serie di difficoltà.
6. Dopo che (*tornare*) .... dal loro viaggio in America, decisero di iscriversi a un corso di inglese.

DOTT. CAGGIANO MAURO
MEDICO CHIRURGO
MALATTIE DELL'APPARATO RESPIRATORIO
SPECIALISTA IN ALLERGOLOGIA ED
IMMUNOLOGIA CLINICA
TEL. 02.7381267
AUT. N.112#9056 / 2000

17 Completate secondo il modello.

> (*dolce*) Mi ha parlato molto *dolcemente*.

1. (*generale*) .... le cose non vanno come vorremmo!
2. (*libero*) Non ti preoccupare, parla pure ....
3. (*elegante*) .... ci ha fatto capire che non aveva più bisogno di noi.
4. (*serio*) Smettetela, adesso parlo ....!
5. (*attuale*) .... stiamo attraversando un periodo di crisi.
6. (*sereno*) Abbiamo affrontato la situazione ....
7. (*esatto*) Ho fatto .... come avevi detto tu.
8. (*casuale*) L'ho incontrato .... alla stazione.

18 Dagli aggettivi dati, ricavate gli avverbi corrispondenti e completate le frasi.

> *recente - assoluto - minimo - giusto - inutile - personale - attento - probabile*

1. Sei andata in qualche posto?
   .... sono stata in Tunisia.
2. Hai trovato il tuo anello?
   Ho cercato dappertutto, ma ....
3. Mi hai spedito i documenti?
   Sono andata .... alla posta.
4. Quando ci verrete a trovare?
   .... alla fine dell'estate.
5. Perché non invitiamo anche Miriam?
   Non ci pensare ....!
6. Come ha reagito?
   Avendo ragione, ... si è arrabbiato.
7. Hai letto i miei appunti?
   Sì, li ho letti .... Hai fatto un ottimo lavoro!
8. Verrai al cinema con noi?
   .... no! I film storici non mi piacciono per niente!

19 Completate con le preposizioni.

1. Da come parli, mi sembra .... capire che .... te è più facile spostarti .... bici piuttosto che .... macchina.
2. Visto che gli esami si avvicinano, andiamo .... qualche giorno .... mare?
3. Molte volte non crediamo .... cose che facciamo.
4. Puoi passare .... Paolo e prendere i miei appunti .... storia?
5. Oggi comunicare .... altri è molto più semplice grazie .... nuove tecnologie.
6. Se continuerà .... nevicare, questo fine settimana andrò sicuramente .... sciare.

20 Completate le seguenti frasi con la parola adatta.

1. - Com'è andata la gita a Roma?
   - Quale gita? Mauro si è ammalato, ... abbiamo deciso di rimandarla!
     A così   **B** finché   **C** se   **D** sebbene

2. I ragazzi sono andati al cinema, ... il film non era bello come si aspettavano.
   A siccome   **B** ma   **C** allora   **D** perché

3. Ti ho già parlato di Sabrina, ... sbaglio?
   A allora   **B** o   **C** che   **D** eppure

4. Sai che non gli piace parlare dei suoi, ... non chiederglielo!
   A ovvero   **B** però   **C** anzi   **D** quindi

5. Non ha passato l'esame .... negli ultimi tempi studiava pochissimo!
   A perché   **B** finché   **C** così   **D** allora

6. .... ieri non avevo capito bene, oggi ho chiesto a Carla di ripetermi cosa è successo tra Gloria e Fabiana.
   A Quando   **B** Siccome   **C** Perciò   **D** Se

21 Ascolto

Il brano che segue è una brevissima storia della lingua italiana; ascoltatelo e indicate l'affermazione giusta tra quelle proposte.

1. Il latino volgare
   - a. era la lingua ufficiale dell'antichità
   - b. è la lingua da cui nacquero alcune lingue moderne
   - c. era la lingua parlata durante l'Impero Romano
   - d. è la lingua più diffusa in Europa

2. L'italiano moderno
   - a. ha origine ai tempi dell'antica Roma
   - b. ha origini molto recenti
   - c. deriva dal dialetto parlato in Sicilia
   - d. deriva dal dialetto parlato a Firenze

3. La lingua italiana
   - a. ha avuto una storia lunga e difficile
   - b. non ha molti dialetti
   - c. ha poche parole di origine straniera
   - d. ha avuto molte modificazioni nel tempo

4. L'italiano standard
   - a. si sviluppa con l'Unità d'Italia
   - b. si diffonde grazie al fascismo
   - c. si afferma soprattutto al Nord Italia
   - d. si afferma soprattutto grazie alla tv

5. Oggi gli italiani
- [ ] a. parlano più in dialetto che in italiano
- [ ] b. a volte parlano in dialetto
- [ ] c. non usano per niente i dialetti
- [ ] d. imparano almeno un dialetto a scuola

6. Dal Trecento all'Ottocento
- [ ] a. il toscano era il dialetto più importante
- [ ] b. in Italia si parlava l'italiano standard
- [ ] c. si parlava solo il latino
- [ ] d. gli italiani usavano solo lingue straniere

TEST FINALE

A   **Scegliete la risposta corretta.**

1. Non appena (1)........................... la gravità della situazione (2)........................... in allarme l'intero quartiere.

(1)	a) capivano	(2)	a) metteranno
	b) ebbero capito		b) avevano messo
	c) avevano capito		c) misero

2. Il professore (1)........................... qualcosa, ma nessuno dei ragazzi presenti lo (2)........................... a sentire.

(1)	a) ebbe detto	(2)	a) è stato
	b) dice		b) sta
	c) disse		c) stava

3. Mentre la nave (1)..........................., loro (2)........................... a sentire già nostalgia del loro Paese.

(1)	a) partiva	(2)	a) iniziano
	b) partì		b) iniziavano
	c) fu partita		c) iniziarono

4. In quell'occasione non (1)........................... bene, (2)........................... avresti almeno potuto chiederle scusa.

(1)	a) ti comporterai	(2)	a) niente affatto
	b) ti comportasti		b) voglio dire che
	c) ti comportavi		c) neanch'io

5. (1)............................ un soldato di nome Piero che, di fronte al nemico, (2)............................ di sparare...

(1)   a) Ci sono due volte   (2)   a) si rifiuterà
      b) C'era una volta   b) si rifiuterebbe
      c) Ci fu un volto   c) si rifiutò

6. - Professoressa, è vero che il (1)............................ è l'anno dell'Unità d'Italia?
    - Sì, ragazzi ... e la monarchia durò fino al (2)............................ .

(1)   a) 1870   (2)   a) 1946
      b) 1861   b) 1997
      c) 1867   c) 1975

B Quelle riportate di seguito sono le date più significative della vita di un grande italiano: Enzo Ferrari. Unitele in modo da ottenerne un piccolo racconto al passato remoto.

1898   Enzo Ferrari nasce a Modena.

1919   Va a lavorare a Torino.

1919   Partecipa alla mitica corsa automobilistica *Targa Florio*.

1920   Comincia a lavorare all'*Alfa Romeo* con la quale collabora per diversi anni.

1929   Fonda a Modena la Scuderia *Ferrari*.

1943   La fabbrica *Ferrari* si trasferisce da Modena a Maranello.

1946   Inizia la costruzione della prima vettura *Ferrari*.

1960   L'Università di Bologna gli conferisce la laurea *honoris causa* in Ingegneria meccanica.

1972   Realizza la pista di Fiorano.

1988   L'Università di Modena gli conferisce la laurea *honoris causa* in Fisica. Muore a Modena nell'agosto dello stesso anno.

....
....
....
....
....
....

C   **Leggete le definizioni e risolvete il cruciverba.**

ORIZZONTALI:
2. Il secolo XV in lettere.
3. Uno dei più grandi generali dell'antica Roma.
4. Il Meridione d'Italia si chiama anche...
7. L'avverbio di "felice".
8. Regime politico il cui potere è nelle mani di una sola persona.

VERTICALI:
1. Come si chiama lo scandalo che scoppiò in Italia agli inizi degli anni Novanta?
5. Infinito della forma verbale "foste".
6. Durante la II guerra mondiale presero le armi contro i fascisti e i tedeschi.

Risposte giuste: /32

Glossary on page 178

1 Completate con il congiuntivo presente, secondo il modello.

> Francesco è nel suo ufficio.
> *Credo che Francesco sia nel suo ufficio.*

1. Stefano guarda la televisione.
   Credo che Stefano .... troppa televisione.
2. Luigi arriva stasera?
   Tu pensi che .... stasera o domani?
3. I ragazzi hanno fame.
   Credo che i ragazzi .... molta fame.
4. Tu e Nicola siete in ritardo.
   Credo che .... in ritardo di 20 minuti.
5. Mario prende solo un caffè.
   Penso che Mario .... sempre il caffè senza zucchero.
6. Noi partiamo oggi per Firenze.
   Loro pensano che .... domani, invece partiamo oggi.

2 Completate con il congiuntivo presente, secondo il modello.

> Mariella parte per il suo paese.
> *Non sono sicuro che Mariella parta per il suo paese.*

1. I signori Leone vendono la loro casa al mare.
   Non sono sicuro che ....
2. Tu non ti diverti tanto ultimamente.
   Mi pare che ....
3. Sono sicuro che voi avete qualche buon motivo per non venire con noi.
   Non sono sicuro che ....
4. I tuoi amici si trovano bene in Italia.
   Sembra che ....
   ....
5. Giorgio è a casa perché ha l'influenza.
   Ho l'impressione che ....
   ....
6. Loro mangiano sempre in quella trattoria.
   Non sono certo che ....
   ....

3 Completate le frasi con il congiuntivo presente dei verbi tra parentesi.

1. Credo che i bambini (*avere*) .... sonno, per questo sono agitati.
2. Queste vacanze sono diventate un inferno, speriamo che (*finire*) .... presto.
3. Bisogna che voi (*prendere*) .... gli studi sul serio, altrimenti...
4. Che freddo, come mai? Sembra che non (*funzionare*) .... l'impianto di riscaldamento.
5. Non sono sicuro che Antonio (*giocare*) .... ancora a tennis.
6. Non c'è più latte! È necessario che qualcuno (*scendere*) .... a prenderlo.

4 Completate con il congiuntivo passato, secondo il modello.

> Quando torna Claudio?
> *Credo che Claudio sia tornato da un pezzo.*

1. Anna ha comprato il giornale?
   Sì, ... stamattina.
2. Sapete se Sonia si è laureata?
   .... l'anno scorso.
3. Secondo te, chi ha pagato il viaggio di nozze?
   .... i genitori della sposa.
4. Rodolfo è mai venuto a Verona?
   .... due anni fa.
5. Credi che finiscano prima di noi?
   .... da mezz'ora circa.
6. Chi avrà vinto la partita?
   Spero .... l'Italia!

5 Completate con il congiuntivo passato, secondo il modello.

> Non credo che lui (*usare*) *abbia usato* il tuo cellulare.

1. Credo che Gina (*uscire*) .... con la tua macchina.
2. È probabile che loro (*andarsene*) .... prima del nostro arrivo.
3. Non siamo sicuri che voi (*fare*) .... tutto il possibile per aiutarci.
4. Ho l'impressione che Giulio (*partire*) .... senza dirmi niente!
5. Sono contento che tua figlia (*vincere*)
   .... il concorso.
6. Mi sembra che Carlo (*andare*) ....
   .... al cinema con Loredana.

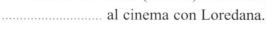

6   Come il precedente.

1. Non credo che (*essere*) .... sincero e che (*raccontare*) .... tutto quello che sapeva.
2. Mi pare che i ragazzi (*dare*) .... il meglio di se stessi!
3. È molto probabile che Valerio (*passare*) .... da Rosa.
4. Se non hanno risposto alla tua lettera, può darsi che non (*riceverla*) ....
5. Non vogliono venire all'opera perché credo che (*vedere*) .... già .... lo spettacolo.
6. È impossibile che i miei ragazzi (*comportarsi*) .... da maleducati!

7   Coniugate al congiuntivo presente i verbi dati. Consultate anche l'Appendice grammaticale.

1. *andare*   Credo che Gianna e Maurizio non .... più d'accordo come un tempo.
2. *salire*   È necessario che tu .... un attimo da noi.
3. *volere*   Mi pare che lei non .... vederlo nemmeno in fotografia!
4. *fare*   Non è possibile che voi .... tutto da soli.
5. *potere*   Mi dispiace che loro non .... venire con noi.
6. *dire*   Non mi sembra che lui .... sempre la verità.
7. *venire*   È facile che io .... in pizzeria con Carmen.
8. *uscire*   Con un mal di denti così forte è improbabile che io ....

8   Coniugate al congiuntivo presente i verbi dati alla rinfusa.

> *dire - scegliere - venire - sapere - salire - fare - dare - stare*

1. Credo che Dino .... una festa, ma non so quando.
2. È incredibile che in questo periodo .... così caldo.
3. È necessario che voi .... la verità ai vostri genitori.
4. È naturale che io .... quello che più mi piace!
5. Speriamo che non .... anche i miei suoceri!
6. Credo che tu .... per preparare qualche scherzo!
7. Vuoi che non .... quando è nata mia moglie?
8. Spero che il prezzo della benzina non .... ancora.

9 Completate secondo il modello.

> Vanno a ballare.
> *Penso che vadano a ballare.*

1. *Pare che*   Sono tornati ieri dalla costiera amalfitana.
....

2. *Immagino che*   Siete venuti per vedere Nicola?
....

3. *Temo che*   Alessandro non può accompagnarvi.
....

4. *Non sono certo che*   Hai avuto un'idea brillante.
....

5. *Ho paura che*   Non hai capito bene quello che ho detto.
....

6. *Voglio che*   Sentite quando vi parlo!
....

7. *Mi aspetto che*   Fate una bella figura.
....

8. *Mi fa piacere che*   Vi trovate bene in questa città.
....

10 Completate secondo il modello. Consultate anche l'Appendice grammaticale.

> Valeria non è più arrabbiata con me. (*sembra che*)
> *Sembra che Valeria non sia più arrabbiata con me.*

1. Patrizia non si fa vedere ultimamente: le sarà successo qualcosa? (*è strano che*)
....

2. Alberto vuole andare a vivere in Francia. (*si dice che*)
....

3. Faccio una telefonata in ufficio. (*è necessario che*)
....

4. Marco è pronto per un'altra avventura. (*sembra che*)
....

5. La sua fabbrica sta per chiudere. (*dicono che*)
....

6. Non sa dove abito. (*è possibile che*)
....

7. Tutti noi diamo una mano a chi ne ha bisogno! (*è bene che*)
....

8. Hanno bisogno di informazioni, sono straniere. (*è naturale che*)
....

11 Completate le frasi con il verbo al congiuntivo presente o passato.

1. Giovanni si è dimenticato dell'appuntamento.
   È facile che ....

2. Ora devi ritornare a casa e prendere la carta d'identità.
   Ho paura che ....

3. Ha commesso una leggerezza imperdonabile.
   Temo che ....

4. Restate a cena con noi!
   Desidero che ....

5. Venite a vivere vicino a casa nostra.
   Sono felice che ....

6. Non ti ha sentito, parli troppo piano.
   È normale che ....

7. Il direttore ci darà l'aumento che ci aveva promesso.
   Mi auguro che ....

8. Secondo me, dovresti chiedere scusa a Chiara per averla offesa davanti a tutti.
   È giusto che ....

12 Completate secondo il modello.

> L'avvocato Berti, benché (*essere*) *sia* ricco, continua a lavorare.

1. Nonostante (*compiere*) .... 78 anni, mio nonno continua ad andare in bicicletta.

2. Ti comprerò il motorino, basta che (*promettere*) .... di mettere sempre il casco!

3. Certo che potrete uscire, a condizione che (*aiutare*) .... i vostri compagni a capire e a risolvere l'esercizio di matematica.

4. Saremmo veramente contenti nel caso tu (*decidere*) .... di rimanere.

5. Vorrei salutare Michele prima che (*partire*) .... per Londra.

6. Il mio sogno è aprire una pasticceria affinché tutti (*potere*) .... conoscere le specialità del mio paese.

13 Inserite le congiunzioni giuste o il congiuntivo dei verbi dati.

> *non piacere - nel caso in cui - malgrado -*
> *non esserci - farmi - prima che*

1. È andato via in macchina .... io abbia insistito tanto per farlo rimanere.
2. Sono sola; telefonerò a Gianni perché .... compagnia.
3. .... la gita non si faccia, vi restituiremo l'anticipo.
4. Verrà anche Angela, purché .... Raffaella.
5. Gli parlerò .... possa saperlo da altri.
6. Pensiamo di andare in pizzeria a meno che a te la pizza ....

14 Abbinate le frasi con la congiunzione opportuna.

1. Vi invito   *prima che*   a. paghi io.
2. Viene al cinema con noi   *sebbene*   b. mi dica la verità.
3. Vai a salutare i tuoi amici   *affinché*   c. partano per la Spagna.
4. Parlerò con Sergio   *per*   d. conoscere tua sorella.
5. Ho comprato un nuovo cellulare   *benché*   e. sia molto costoso.
6. Non posso mangiare molto   *purché*   f. abbia molta fame.

15 Completate le frasi con gli elementi dati a fianco.

> *andare - comunque - qualsiasi -*
> *fare - riuscire - chiunque*

1. La palestra fa uno sconto a .... porti con sé un amico.
2. Ovunque .... si porta dietro il suo cuscino.
3. È la crociera più straordinaria che .... in vita mia.
4. .... cosa tu dica, io resterò della mia opinione.
5. Gianni è il solo che .... a farmi ridere quando sono giù.
6. Ti sarò sempre vicino .... vadano le cose!

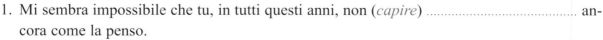

16 Mettete gli infiniti tra parentesi al modo e al tempo opportuni.

1. Mi sembra impossibile che tu, in tutti questi anni, non (*capire*) .... ancora come la penso.
2. Non sono sicuro, ma credo che Ilaria (*finire*) .... di lavorare alle cinque, e (*tornare*) .... a casa verso le sette.
3. Mi sembra strano che tu non (*leggere*) .... un libro tanto conosciuto!
4. Vedo che sei abbastanza robusto, suppongo che tua madre (*essere*) .... un'ottima cuoca!

5. Può darsi che la banca (*darti*) .... il prestito di cui hai bisogno.

6. Mi sono rivolto a voi nella speranza che (*risolvere*) .... il mio problema!

7. Pare che la partita (*finire*) .... da un'ora.

8. Temo che Valentina non (*venire*) .... perché uscirà con i suoi amici.

17 **A seconda del significato mettete i verbi tra parentesi al tempo e al modo opportuni.**

1. Dimmi tutto, anche se (*capire*) .... quello che è successo.

2. È necessario che tu (*finire*) .... tutti gli esami entro l'anno.

3. Forse è meglio che io (*partire*) .... col primo pullman.

4. Nonostante Luisa (*stare*) .... male, è venuta in ufficio.

5. Sono felice di (*trovarsi*) .... di nuovo in mezzo a voi.

6. Sono sicuro che Piero (*andare*) .... in Scozia.

7. Penso di non (*fare*) .... una buona scelta.

8. Secondo me, noi (*fare*) .... prima per questa strada.

18 **Come il precedente.**

1. Non è importante che tu (*venire*) ...., anche se (*farmi piacere*) ....
.... incontrarti dopo tanto tempo.

2. Sono certo che Lucia (*sposare*) .... il suo direttore per amore; altri però
dicono che (*sposarlo*) .... per interesse.

3. Sono sicuro che lui (*comportarsi*) .... correttamente nei vostri confronti.

4. Sebbene Vincenzo (*partire*) .... con un'ora di anticipo, penso che, con
questo traffico, non (*riuscire*) .... ad arrivare puntuale.

5. Probabilmente i ragazzi non (*tornare*) .... ancora dall'ufficio, altrimenti
(*telefonarci*) .... già da un pezzo.

6. Poiché era senza soldi non (*uscire*) .... con noi; credo che (*rimanere*) ....
.... a casa a guardare la TV.

7. Forse non (*loro volere*) .... venire alla
festa, quindi non ci (*telefonare*) ....

8. - È meglio che voi (*riposarsi*) .... un
po' prima di ricominciare a guidare.
- No, è meglio se (*bere*) .... un caffè
all'autogrill e proseguiamo subito dopo.

19 **Completate con le preposizioni.**

1. Cerca .... finire in tempo.

2. Non lasciare i tuoi libri .... mia scrivania.

3. Queste tazzine .... caffè sono .... una ceramica molto fine.
4. Finisco .... lavorare .... cinque.
5. Vado .... camera mia.
6. Chi ha parcheggiato la macchina .... marciapiede?!

20 **Come il precedente.**

1. Molte volte, la cosa migliore .... fare è ascoltare .... silenzio.
2. .... balcone .... mia casa .... montagna si gode un magnifico panorama.
3. .... questo momento vorrei essere .... un'isola deserta, lontano .... preoccupazioni.
4. Ho convinto tutta la mia compagnia .... andare .... palestra.
5. Ho letto .... una rivista, ... cui non ricordo il nome, che l'acqua sarà presto un problema molto serio .... tutto il pianeta.
6. Hai telefonato .... quella ditta .... le informazioni che volevamo?

21 **Completate le frasi con la parola opportuna (verbo, sostantivo, aggettivo, avverbio) formandola da quella data a fianco.**

1. Questa pensione ha un'atmosfera molto .... Mi piace!
2. Il professor Vanni è uno .... di fama internazionale.
3. Prego signora, si accomodi in sala d'.........................., La chiamo io!
4. Di amici .... ne ho pochi.
5. Ha detto che mi aiuterà ....
6. Adesso ti devi .... e spiegarmi cos'è successo!

famiglia
studiare
attendere
intimità
sicuro
calmo

22 **Ascolto**
Ascoltate un'intervista a una ragazza, realizzata in una palestra di Milano. Scegliete la risposta corretta.

1. La palestra frequentata dalla ragazza
   a. è piccola
   b. è frequentata da bambini
   c. è molto attrezzata
   d. ha corsi per anziani

2. La ragazza ha scelto questa palestra anche perché
   a. ci vanno i suoi amici
   b. non è lontana
   c. è aperta fino a tardi
   d. conosce bene l'istruttore

3. La ragazza va in palestra
   a. per passare un po' il tempo
   b. perché ama nuotare
   c. perché è un tipo molto sportivo
   d. perché si vuole rilassare

4. La ragazza frequenta la palestra
   a. due o tre volte alla settimana
   b. tre o quattro volte al mese
   c. tre o quattro volte alla settimana
   d. tre o quattro volte al giorno

TEST FINALE

A   Scegliete la risposta corretta.

1.   I miei? Credo che quest'estate (1)............................. in montagna. Vedremo cosa (2).............................!

   (1)   a) vadano   (2)   a) decideranno
          b) vanno   b) sono decisi
          c) siano andati   c) decidano

2.   È un bene per tutti che (1).............................l'acqua nei mesi scorsi. Ora (2)............................. affronta-re meglio il caldo di questi giorni!

   (1)   a) risparmierà   (2)   a) possiamo
          b) risparmi   b) abbiamo potuto
          c) abbiamo risparmiato   c) potremmo

3.   Ho paura che (1)............................. poche speranze, ma spero (2).............................!

   (1)   a) ci sono   (2)   a) che mi sbaglierò
          b) ci siano   b) che mi sbaglio
          c) ci siano state   c) di sbagliarmi

4.   Nonostante Massimo (1)............................. tanto per l'Europa non (2)............................. ancora a parla-re bene l'inglese.

   (1)   a) viaggia   (2)   a) riesce
          b) viaggiava   b) riesca
          c) viaggi   c) riusciva

5.   Qualunque strada (1)............................., io (2)............................. sempre al suo fianco!

   (1)   a) scegli   (2)   a) sia
          b) scelga   b) sono stato
          c) scegliamo   c) sarò

6.   Che (1)............................. Pavarotti lo posso credere, ma che (2)............................. insieme a lui l'anno scorso a New York è difficile crederlo!

   (1)   a) abbia conosciuto (2)   a) abbia cantato
          b) conoscerà   b) ne abbiamo cantato
          c) abbiamo conosciuto   c) cantiamo

B **Completate con:** *prima che, prima di, sebbene, purché, senza che, affinché.*

1. Ti comprerò le scarpe che vuoi, ... non costino troppo.
2. Devo fare il pieno di benzina .... partire.
3. Voglio essere chiaro, ... nessuno dica poi che non ha capito.
4. Vado in piscina .... non mi senta in forma.
5. È venuta al cinema con noi .... nessuno l'avesse invitata!
6. Telefonerò ai miei genitori .... partano per le vacanze.

C **Leggete le definizioni e risolvete il cruciverba.**

ORIZZONTALI:
2. Il calcio... in "dimensioni ridotte".
3. Uno sport di tre lettere.
4. Ci andiamo per fare un po' di ginnastica e per mantenerci in forma.
5. Lo sport in cui la *Ferrari* rappresenta l'Italia.
6. Lo si dice di una vita... passata a star seduti.

VERTICALI:
1. Ogni squadra è composta da 5 giocatori in campo.
2. Va in bici.
3. Fa veramente male a tutti: lo...

Risposte giuste: /26

2° Test di ricapitolazione (Unità 4 e 5)

A   **Completate il brano mettendo i verbi tra parentesi al tempo opportuno.**

Andai a trovare Danilo dopo molti anni dal nostro ultimo incontro. La domestica (*dirmi*) (1)............................ che mi aspettava. Quando (*entrare*) (2)............................, (*trovarlo*) (3)...... .... in terrazza che leggeva il giornale. Appena (*vedermi*) (4)............................ non (*sorridere*) (5)............................ e non (*alzarsi*) (6)............................. Mi disse solo che era contento di rivedermi e mi offrì un caffè. Dopo che mi (*guardare*) (7)............................ atten- tamente, (*io capire*) (8)............................ che mi aveva scambiato per suo cugino Sergio.

/8

B   **Completate coniugando i verbi dati al tempo e al modo opportuni.**

1. Temo che (*stare*) .... per nevicare.
2. Sebbene (*io conoscerti*) .... solo da poco posso dire che sei un bravo ragazzo.
3. Credo che Giovanna (*ritornare*) .... da qualche giorno.
4. Mi auguro di tutto cuore che non (*accadergli*) .... qualcosa di brutto.
5. Mi dispiace che loro (*interpretare*) .... male le nostre parole.
6. È impossibile che Alessandra non (*sapere*) .... niente di questo fatto.

/6

C   **Completate le frasi con la congiunzione più adatta tra quelle proposte in basso e coniugate correttamente il verbo tra parentesi.**

a patto che   prima di   sebbene   prima che   perché   benché

1. Non capisco mai bene quello che dice, ... lui (*parlare*) .... lenta- mente.
2. Devo assolutamente vederti, ... (*tu partire*) ....!
3. Andremo in quel ristorante .... (*pagare*) .... voi!
4. L'avvocato Blasi saluta sempre tutti educatamente .... (*lui uscire*) .... dall'ufficio.
5. Ripeto anche a te quello che ho detto ad Alfredo .... (*essere*) .... chiaro a tutti voi come dovete comportarvi domani!
6. .... Mauro non (*stare*) .... bene tutta la scorsa settimana, oggi parte per la settimana bianca.

/12

D **Completate i mini dialoghi con le parole date.**

rappresenti   abbia voluto   l'abbia pagata   veramente

1.
- Ti piace la mia macchina? L'ho pagata 10 mila euro di seconda mano.
- Sì, è molto bella! Ma credo che tu .... troppo!

2.
- Bello questo quadro, lo compreresti?
- Sì, è .... bello, ma a dire la verità non capisco cosa ....
- Io penso che il pittore .... rappresentare un tramonto.

/4

Risposte giuste: /30

1° Test di progresso

A   Leggete il testo e indicate le affermazioni corrette.

Ho coltivato a lungo in me l'idea di poter lavorare, un giorno, a sceneggiature per il cinema. [...] Ora ho perso la speranza di lavorare mai a sceneggiature. Lui ha lavorato a sceneggiature, un tempo, quand'era più giovane. Ha lavorato lui pure in una casa editrice. Ha scritto racconti. Ha fatto tutte le cose che ho fatto io, più molte altre. Rifà il verso alla gente, e soprattutto a una vecchia contessa. Forse riusciva a fare anche l'attore.

Una volta, a Londra, ha cantato in un teatro. Era Giobbe. Aveva dovuto noleggiare un frac; ed era là, in frac, davanti a una specie di leggìo; e cantava. Cantava le parole di Giobbe. [...] È stato un grande successo, e gli hanno detto che era molto bravo. Se io avessi amato la musica, l'avrei amata con passione. Invece non la capisco. [...]

Mi piace cantare. Non so cantare, e sono stonatissima; canto tuttavia, qualche volta pianissimo, quando son sola. Che sono così stonata, lo so perché me l'hanno detto gli altri; dev'essere, la mia voce, come il miagolare d'un gatto. Ma io, da me, non m'accorgo di nulla; e provo, nel cantare, un vivo piacere. [...]

Di non capire la pittura, le arti figurative, non me ne importa; ma soffro di non amare la musica. [...] Se a volte sento una musica che mi piace, non so ricordarla; e allora come potrei amare una cosa, che non so ricordare? [...]

Tutto il giorno si sente musica, in casa nostra. Lui tiene tutto il giorno la radio accesa. O fa andare dei dischi. Io protesto, ogni tanto, chiedo un po' di silenzio per poter lavorare; ma lui dice che una musica tanto bella è certo salubre per ogni lavoro.

adattato da *Lui e io, Le piccole virtù* di Natalia Ginzburg

1. La narratrice, da giovane, non ha lavorato come sceneggiatrice. ☐
2. L'uomo di cui si parla si chiama Giobbe. ☐
3. L'uomo ha fatto anche l'attore. ☐
4. La narratrice ha con sé, in casa, un gatto. ☐
5. Alla narratrice sarebbe piaciuto saper amare la musica. ☐
6. A casa dei protagonisti si ascoltano soltanto dischi. ☐

B   Leggete il testo e rispondete alla domanda.

Sono fidanzata da 4 anni con un ragazzo molto simpatico e tenero, che però negli ultimi tempi si sta dimostrando geloso oltre misura. Ha avuto delle vere e proprie crisi che mi hanno sconvolta e terrorizzata; ha cominciato a bere in modo eccessivo e a minacciarmi anche fisicamente. Quando torno dall'università mi fa il terzo grado, e la mia vita è piena di divieti: non posso rimanere a dormire dalle mie amiche, non gli va se mi taglio i capelli. Non so cosa fare, questa situazione mi pesa; se si avvicina qualcuno che io conosco e lui no, temo che reagisca male. Sono attaccata a lui, ma nello stesso tempo comincio ad avere paura. Se si comporta così adesso che siamo fidanzati, come si comporterà quando saremo sposati?

tratto da *Grazia*

Quali problemi si trova ad affrontare l'autrice di questa lettera?
(Da un minimo di 15 ad un massimo di 25 parole)

....

....

....

....

C Collegate le frasi con le opportune forme di collegamento. Se necessario, eliminate o sostituite alcune parole. Trasformate, dove necessario, i verbi nel modo e nel tempo opportuni.

1. - mi hanno finalmente portato il computer
   - avevo pagato il computer in contanti
   - hanno tardato parecchio

   ....

   ....

2. - avevo la febbre
   - ho continuato a lavorare
   - dovevo consegnare il lavoro in giornata

   ....

   ....

3. - quando ero all'Università abitavo in una pensione
   - nella pensione erano ospitati tanti stranieri

   ....

   ....

4. - Alberto vuole andare in vacanza
   - Alberto non ha soldi sufficienti per andare in vacanza
   - Alberto decide di lavorare per un mese

   ....

   ....

5. - non siamo sicuri di partire per Parigi
   - ho prenotato una suite costosissima
   - tutte le camere sono prenotate

   ....

   ....

6. - Claudia ha regalato un libro a Eugenio
   - a Eugenio il libro è piaciuto moltissimo
   - ha letto il libro tutto d'un fiato

   ....

   ....

D   **Abbinate le informazioni sottoelencate all'articolo corrispondente.**

A

PORTA IL TUO CANE IN VACANZA SENZA PROBLEMI

Anche Fido si sta preparando a partire per le vacanze? Per un cane viaggiare in macchina è causa d'ansia, soprattutto se è emotivo e non è abituato alle quattro ruote.

In macchina non ci deve essere troppo caldo: il cane, infatti, lo soffre molto. Se c'è l'aria condizionata, meglio non tenerla al massimo. Se, invece, non c'è è bene tenere il finestrino abbassato quel tanto che basta per far circolare l'aria. Mai lasciare Fido in auto da solo, tanto meno al sole. La temperatura all'interno dell'auto può salire velocemente oltre i 40 gradi.

Lo dice anche il Codice della Strada. Per non diventare pericoloso in auto, il cucciolo deve stare sul sedile posteriore. In ogni caso, è importante creargli un posto confortevole. Magari sistemando sul sedile alcuni cuscini.

C'è sempre un oggetto a cui il cucciolo è particolarmente affezionato. Può essere un gioco, una copertina, un cuscino. Vale la pena portarlo in macchina: servirà a distrarre il cane e contribuirà a farlo stare più tranquillo.

di G. Mari, adattato da *www.donnamoderna.com*

B

IL CUCCIOLO IMPARA LE BUONE MANIERE

È come per i bambini: anche ai cani le buone maniere vanno insegnate sin da piccoli. Nei primi 60 giorni è la mamma a dare al cucciolo le basi del galateo. Dopo, la palla passa al padrone. "Per i cagnolini sono previste delle lezioni speciali: le cosiddette *Puppy Class* (lezioni per cuccioli)" dice Maria Aniello, educatrice dell'importante Centro cinofilo Alaska Kennel di Perugia. Obiettivo principale dei corsi è far socializzare il cagnolino con altri animali e gli estranei. Mordicchiare le dita della mano è il passatempo preferito di ogni cucciolo. Lo fa perché usando la bocca scopre il mondo che lo circonda. Ma è un'abitudine da togliergli, altrimenti da adulto può diventare pericoloso.

Quando gioca all'aperto diventa proprio come un bambino. Non risponde ai richiami. Li ignora perché sa che il più delle volte correre dal padrone significa porre fine al divertimento e rientrare a casa. Che fare? Perché obbedisca bisogna offrirgli una piacevole alternativa come per esempio una carezza o un gioco.

di A. Piersigilli, adattato da *www.donnamoderna.com*

1. Andare in auto non mi piace molto.	A	B
2. I primi due mesi li passo con la mamma.	A	B
3. Domani vado a lezione.	A	B
4. Io, in macchina, mi siedo sempre dietro.	A	B
5. In vacanza mi porterò la mia palla preferita.	A	B
6. Mi piace tantissimo correre all'aperto.	A	B
7. Questo caldo mi distrugge.	A	B
8. Per me, è importante imparare a stare in compagnia.	A	B

2º Test di progresso

A **Leggete il testo e indicate le informazioni presenti.**

"Quali deliziose giornate non ho passato qui con Voi, cara cugina!"

"Davvero?"

"Perché, perché non potrebbe esser sempre così?"

Egli aveva trovato il motivo e continuò a voce bassa, con accento enfatico...

"Perché queste deliziose giornate non possono essere il preludio di una vita deliziosa a cui tutto c'invita, le nostre tradizioni di famiglia, la nostra nascita, la nostra educazione, la nostra simpatia?"

Marina si morse il labbro inferiore.

"Sì" ripigliò Nepo, [...] "Sì, perché anch'io, che pure ho vissuto nella migliore società di Venezia e di Torino e vi ho stretto cordiali amicizie con una quantità di belle ed eleganti signorine, anch'io sin dal primo vedervi ho provato per Voi una simpatia invincibile..."

"Grazie" sussurrò Marina.

"... una di quelle simpatie che diventano rapidamente passioni in un giovanotto come me, sensibile alla bellezza, sensibile alla grazia, allo spirito, sensibile alle squisitezze più recondite e più delicate della eleganza. Perché Voi, cara cugina, Voi possedete tutte queste cose, Voi siete una statua greca, animata in Italia, educata a Parigi, come mi diceva con meno ragione il ministro dell'Inghilterra parlando della contessa C... Voi potrete un giorno rappresentare con molto splendore la mia casa nella capitale, sia in Torino, sia in Roma; perché io finirò certo per avere alla capitale una posizione degna del mio nome, degna di Venezia. Io Vi parlo, cara cugina, un linguaggio più serio che appassionato, perché qui non comincia ora un romanzo, ma prosegue una storia..."

Nepo si fermò un momento per applaudirsi mentalmente di questa frase...

"è la storia" proseguì "di due illustri famiglie, sostegno l'una della più gloriosa repubblica, ornamento l'altra della più illustre monarchia italiana, sorte, la prima nell'estremo oriente, l'altra nell'estremo occidente d'Italia. [...]"

"Marina" diss'egli "volete esser contessa Salvador? Io aspetto con piena fiducia la Vostra risposta."

Marina guardava tuttavia il lago e taceva. [...] disse sottovoce a Nepo "A domani."

tratto da Malombra di Antonio Fogazzaro

1. Nepo ha conosciuto tante belle signorine a Roma. ☐

2. Marina è stata educata in Francia e Inghilterra. ☐

3. Il ministro d'Inghilterra è un vecchio amico della famiglia di Marina. ☐

4. Marina risponde di sì alla dichiarazione dell'uomo. ☐

5. Nepo è convinto che gli verranno affidati importanti incarichi pubblici. ☐

6. A Nepo piacciono molto alcune parole che sceglie nel parlare alla ragazza. ☐

7. Marina e Nepo appartengono a due note famiglie dell'epoca. ☐

8. Nepo appartiene ad una famiglia della Repubblica di Venezia. ☐

B **Leggete il testo e rispondete alla domanda.**

Non mi permetterei mai di cestinare una lettera dei miei lettori! E comunque voglio dare un piccolo consiglio anche a te, cara Francesca. La "dieta" che stai portando avanti è troppo schematica. Sono d'accordo con te che devi perdere alcuni chili, ma 10 sono un po' troppi. Perché non chiedi alla redazione di *Gente* le tabelle dietetiche che sono state pubblicate durante la primavera scorsa e raccolte adesso in un nuovo numero? Si tratta di una dieta equilibrata che puoi provare a seguire anche tu. Ciao.

da *Gente*

Cosa avrà chiesto alla giornalista la lettrice?
(Da un minimo di 15 ad un massimo di 25 parole)

....

....

....

....

C **Completate il testo. Inserite la parola mancante negli spazi numerati. Usate una sola parola.**

a) Ha ottenuto la pensione di guerra a 96 anni. Protagonista ....(1) vicenda un abitante di Raffadali (Agrigento). Reduce dalle operazioni belliche dell'Africa orientale, durante la seconda ....(2) mondiale, aveva chiesto 36 anni fa la pensione di guerra, sostenendo che la colite cronica di cui soffriva era da mettere ....(3) relazione al suo impiego in Africa. La commissione medica superiore lo esclude. La Corte dei conti gli ha dato finalmente ....(4).

b) Una barbona di 65 anni che viveva sui marciapiedi di un quartiere di Parigi da 25 anni nascondeva 40mila euro nelle ....(1) cinque valigie. A scoprirlo è stata la squadra di assistenza ai senzatetto quando sono intervenuti per ....(2) la donna nel centro di accoglienza dei clochard. Gli agenti hanno consegnato il bottino al commissariato di zona. Era ....(3) appropriato il soprannome "La principessa" che gli abitanti del quartiere ....(4) avevano dato ironicamente per il trucco marcato.

adattato da *http://it.notizie.yahoo.com/ansa*

D **Collegate le frasi con le opportune forme di collegamento. Se necessario, eliminate o sostituite alcune parole. Trasformate, dove necessario, i verbi nel modo e nel tempo opportuni.**

1. - Alessandra vive con la nonna
   - la nonna di Alessandra è molto simpatica
   - alla nonna di Alessandra piace molto la compagnia della nipote

....

....

149

2. - abbiamo pensato di fare una crociera
 - non la settimana in montagna
 - vogliamo visitare i paesi mediterranei

....

....

3. - domani mattina vado in banca
 - domani è l'ultimo del mese
 - se in banca trovo una fila lunghissima non mi fermo

....

....

4. - Giovanni aveva un amico
 - Giovanni si fidava troppo del suo amico
 - alla fine il suo amico rubò a Giovanni il computer portatile

....

....

5. - oggi è il mio compleanno
 - oggi è il compleanno di Francesca
 - voglio telefonare prima io a Francesca

....

....

6. - ho comprato una nuova moto
 - ho altre due moto nel garage
 - questa nuova moto è ideale per i viaggi lunghi

....

....

Unità 1
page 12

I pronomi diretti

Mi senti bene?
Cos'hai? Non *ti* vedo molto allegro oggi.
Lo sapevi anche tu?
Quando vedo Ilaria *la* saluto.
Professore, *La* ringrazio di tutto.
Nostra figlia *ci* invita spesso a casa sua.
Ragazzi, ormai *vi* conosco molto bene.
Questi cd non *li* ho ancora ascoltati.
Ma tu, Maria e Gilda, *le* vedrai o no?

I pronomi indiretti

Cosa *mi* regali per il mio compleanno?
Ti piace il gelato al cioccolato?
Gli dirò quel che è successo.
Le ho raccontato tutta la verità.
Signor Marini, *Le* chiedo scusa.
Ci ha mandato una cartolina da Torino.
Vi auguro un buon fine settimana.
Ai miei *gli* ho spiegato tutto.
Gli chiederò il perché alle ragazze.

Unità 2
page 26

Often when *cui* is preceded by the preposition *a*, this becomes optional:
La persona (*a*) *cui* sono più legato nella mia famiglia, è mia madre.

A particular use of the pronoun *cui*

The *pronome relativo* **cui** functions as a complement of specification (*di chi? di che cosa?*) when it is preceded by an *articolo determinativo* which agrees with the noun that follows (**i** cui **fratelli**).

Non ammetteremo candidati, *le cui* domande arriveranno oltre il termine previsto. (*le domande dei quali*)
Italo Svevo, *il cui* vero nome era Ettore Schmitz, è nato a Trieste nel 1861. (*il nome del quale*)
Questo è l'elenco delle università *i cui* diplomi di laurea valgono anche all'estero. (*i diplomi delle quali*)
Ho un appuntamento con l'ing. Taddei, *la cui* offerta mi sembra molto interessante. (*l'offerta del quale*)

Particular forms in the use of the *pronome relativo cui*

Tutti si sono affrettati a salutare il presidente *alle cui*
preoccupazioni, però, non è stata data nessuna risposta.   (*alle preoccupazioni del quale*)
Alberto, *alla cui* festa c'ero anch'io, ha compiuto cinquant'anni.   (*alla festa del quale*)
I ragazzi, *del cui* comportamento sono state avvertite
le famiglie, rimarranno in classe.   (*del comportamento dei quali*)

Unità 3
page 41

Farcela

Purtroppo non *ce la faccio* da solo.
Ce la fai a portare tutte queste valigie?
Ha fatto di tutto ma non *ce la fa*.
Vedrai che *ce la facciamo* ad arrivare presto!
Ragazzi, *ce la fate* o vi serve una mano?
Ce la fanno solo gli studenti più bravi in questa scuola!

Andarsene

Ragazzi, io *me ne vado*! Sono stanco.
Te ne vai di già? Ma è ancora presto.
Signora, perché *se ne va*?
Mamma, noi *ce ne andiamo*. A domani!
E così... *ve ne andate* subito?!
I ragazzi *se ne vanno* senza dire niente.

page 49

Particular forms of the *superlativo*

Buono	Sei veramente fortunato: il tuo è un *ottimo* posto!
Cattivo	È una persona in gamba, ma ha un *pessimo* carattere.
Grande	Va' avanti: ti seguo con la *massima* attenzione.
Piccolo	Cerchiamo di organizzare la festa con la *minima* spesa possibile.

Unità 4
page 58

Use of the *passato remoto*

- for past action, historical actions; actions not connected to the present;
- for actions which the speaker does not find interesting and in which he/she is not involved emotionally and, choosing the *passato remoto* instead of the *passato prossimo*, in fact shows this disinterest, this "emotional distance" from the action itself. This regards a choice of style and subjectivity;
- in written language (mainly fables and literary stories) and less so in spoken language (with the exception of South and part of Central Italy where there is a preference for the *passato remoto* over the *passato prossimo*).

pages 60 and 62

Irregular verbs in the *passato remoto*

avere: *ebbi, avesti, ebbe, avemmo, aveste, ebbero*
essere: *fui, fosti, fu, fummo, foste, furono*
accorgersi: *mi accorsi, ti accorgesti, si accorse, ci accorgemmo, vi accorgeste, si accorsero*
aprire: *aprii (apersi), apristi, aprì (aperse), aprimmo, apriste, aprirono (apersero)*
dare: *diedi (detti), desti, diede (dette), demmo, deste, diedero (dettero)*
dire: *dissi, dicesti, disse, dicemmo, diceste, dissero*
fare: *feci, facesti, fece, facemmo, faceste, fecero*
mettere: *misi, mettesti, mise, mettemmo, metteste, misero*
stare: *stetti, stesti, stette, stemmo, steste, stettero*
vedere: *vidi, vedesti, vide, vedemmo, vedeste, videro*

assumere: *assunsi*	dirigere: *diressi*	piangere: *piansi*	scendere: *scesi*
bere: *bevvi*	discutere: *discussi*	porre: *posi*	scrivere: *scrissi*
cadere: *caddi*	distruggere: *distrussi*	prendere: *presi*	spendere: *spesi*
chiedere: *chiesi*	escludere: *esclusi*	proteggere: *protessi*	succedere: *succedetti*
chiudere: *chiusi*	esprimere: *espressi*	rendere: *resi*	tacere: *tacqui*
cogliere: *colsi*	giungere: *giunsi*	ridere: *risi*	tenere: *tenni*
condurre: *condussi*	leggere: *lessi*	rimanere: *rimasi*	togliere: *tolsi*
conoscere: *conobbi*	muovere: *mossi*	risolvere: *risolsi*	trarre: *trassi*
convincere: *convinsi*	nascere: *nacqui*	rispondere: *risposi*	venire: *venni*
correre: *corsi*	nascondere: *nascosi*	rompere: *ruppi*	vincere: *vinsi*
decidere: *decisi*	perdere: *persi*	sapere: *seppi*	vivere: *vissi*
difendere: *difesi*	piacere: *piacqui*	scegliere: *scelsi*	volere: *volli*

page 62

Roman numerals

I = 1	II = 2	III = 3	IV = 4	V = 5	VI = 6	VII = 7	VIII = 8	IX = 9	X = 10
XX = 20	XXX = 30	XL = 40	L = 50	C = 100	D = 500	CM = 900	M = 1.000		

Unità 5
page 74

Verbs which are irregular in the *congiuntivo*

Infinito	Indicativo presente	Congiuntivo presente			
andare	vado	vada	andiamo	andiate	vadano
dire	dico	dica	diciamo	diciate	dicano
fare	faccio	faccia	facciamo	facciate	facciano
salire	salgo	salga	saliamo	saliate	salgano
scegliere	scelgo	scelga	scegliamo	scegliate	scelgano
uscire	esco	esca	usciamo	usciate	escano
venire	vengo	venga	veniamo	veniate	vengano
volere	voglio	voglia	vogliamo	vogliate	vogliano
porre	pongo	ponga	poniamo	poniate	pongano
potere	posso	possa	possiamo	possiate	possano

page 76

Use of the *congiuntivo* (I)

We use the *congiuntivo* in sentences which are dependent on others and generally express subjectivity, will, uncertainty, etc, but only when the two verbs have different subjects. In particular when they express:

Subjectivity:
Credo / Penso / Direi che tu debba accettare l'offerta.
Immagino / Suppongo / Ritengo che tutto sia finito bene.
Mi pare / Mi sembra / Ho l'impressione che lei fumi troppo.

Uncertainty:
Non sono sicuro / certo che Mario sia leale.
Dubito che Anna abbia pensato a questa cosa.
Non so se / Ignoro se si sia già laureato.

Desire:
Voglio / Non voglio che tu faccia tardi stasera.
Desidero / Preferisco che voi restiate a casa.

Mood:
Sono felice / contento che tutto sia andato bene.
Mi fa piacere / Mi dispiace che le cose stiano così.

Hope:
Spero / Mi auguro che tutto finisca bene.

Expectation:
Aspetto che arrivi mia madre per uscire.

Fear:
Ho paura / Temo che lui se ne vada.

Impersonal verbs or forms

Bisogna / Occorre che voi torniate presto.
Può darsi che Tiziana non possa venire con noi.
Si dice / Dicono che Carlo e Lisa si siano lasciati.
Pare / Sembra che siano ricchi sfondati.

(non)
È necessario / importante che io parta subito.
È opportuno / giusto che questa storia finisca qui.
È meglio che io inviti tutti quanti?
È normale / naturale / logico che ci sia traffico a quest'ora?
È strano / incredibile che Gianna abbia reagito così male.
È possibile / impossibile che tutti siano andati via.
È probabile / improbabile che lei sappia già tutto.
È facile / difficile che uno dia l'impressione sbagliata.
È un peccato che abbiate perso questo spettacolo.
È ora che tu mi dica tutta la verità.
È bene che siate venuti presto.
È preferibile che io non esca con voi: sono di cattivo umore!

153

page 78

Use of the *congiuntivo* (III)

chiunque	Lui litiga con chiunque tifi per un'altra squadra.
qualsiasi	Chiamami per qualsiasi cosa tu abbia bisogno.
qualunque	Qualunque cosa gli venga in mente, la dice senza pensarci!
(d)ovunque	Dovunque tu vada, io verrò con te!
comunque	Non devi perderti di coraggio, comunque stiano le cose.
il ... più	È la donna più bella che abbia mai conosciuto.
più ... di quanto	Il fumo è più nocivo di quanto tu possa immaginare.
l'unico / il solo che	Giorgio è l'unico / il solo che possa aiutarti in questa situazione.
non c'è nessuno che	Non c'è nessuno che ti voglia tanto bene quanto la tua mamma!
augurio	Che Dio sia con te!
desiderio	Vogliono venire? Che vengano! Li aspettiamo con piacere!
dubbio	Che siano già partiti?
domanda indiretta	Mi chiedo se tu mi voglia veramente bene.
alcune frasi relative	Sara è nervosa: devo trovare una ragazza che abbia più pazienza.
	Silvia cerca un uomo che sia ricco e stupido! Perché non ci provi tu?!
Che...	Che loro siano poveri, lo so bene. ***but***: So bene che loro sono poveri.
(inversion)	Che mi abbia tradito è sicuro. ***but***: È sicuro che mi ha tradito.

Soluzioni delle attività di autovalutazione

Prima di... cominciare
1. a.-1, b.-3, c.-5, d.-2, e.-8, f.-6, g.-4, h.-7
2. 1. fareste, 2. si sono conosciuti, 3. c'era, 4. dammi, 5. mi sono espresso/a, 6. era partito, 7. rimangono/rimarranno, 8. sarai
3. - 4. - 5. - 8. *Risposta libera*
6. *Risposta suggerita.* **a.**: 1. fantascienza, western; 2. Natale, Ferragosto; 3. camera da letto, cucina, bagno; 4. Primavera, marzo, settembre; **b.** da sinistra a destra: 1, 10, 4, 2, 6, 7, 8, 9, 3, 5
7. 1. al, 2. a, 3. l', 4. gli, 5. gli, 6. gli, 7. A, 8. Lo, 9. vi, 10. a, 11. li, 12. mi

Unità 1
1. 1-b, 2-a, 3-d, 4-c
2. 1-c, 2-d, 3-a, 4-b
3. 1. classico, scientifico, linguistico, artistico; 2. a 6 anni; 3. chi, quale, che/che cosa/cosa, quanto, dove, quando, perché; 4. glieli
4. *orizzontale*: capitolo, mensa, maestra, corso, lingue *verticale*: lettere, materia, alunno

Unità 2
1. 1-b, 2-d, 3-a, 4-c
2. 1-a, 2-d, 3-c, 4-b
3. 1. va sano e va lontano; 2. tra gli anni '50 e '60; 3. te ne; 4. che, il quale, con il quale, a cui, il cui ecc.; 5. Gentile sig. Albertini, Spettabile Ditta
4. 1. colloquio di lavoro, 2. disoccupato, 3. licenziare, 4. promuovere, 5. risparmiare, 6. prelevare, 7. assumere, 8. frequentare

Unità 3
1. 1-d, 2-c, 3-e, 4-a, 5-b
2. 1-b, 2-e, 3-d, 4-a, 5-c
3. 1. 3.000.000, 1.500.000; 2. Venezia, Firenze; 3. camera doppia; 4. grandissimo, malissimo; 5. più/meno che, tanto ... quanto
4. 1. turisti, **a**lbergo; 2. **c**redito, **s**conto; 3. **v**olo, **b**iglietti; 4. **a**genzia, **p**renotare; 5. **c**olloquio, **p**osto

Unità 4
1. 1-d, 2-c, 3-b, 4-a, 5-e
2. 1-d, 2-e, 3-a, 4-b, 5-c
3. 1. francesi, spagnoli, austriaci; 2. vent'anni; 3. il fiorentino; 4. fece; 5. facilmente
4. *orizzontale*: re, Signoria, volo, porto, fascismo *verticale*: medioevo, Resistenza, agenzia, esercito, bagaglio/bagagli

Unità 5
1. 1-e, 2-a, 3-b, 4-c, 5-d
2. 1-b, 2-*frase in più*, 3-a, 4-e, 5-c, 6-d
3. 1. ciclismo, motociclismo; 2. automobilismo, sci, nuoto, atletica leggera; 3. calcio, pallavolo, pallacanestro; 4. forse; 5. legga, dica
4. 1. gare, 2. a patto che, 3. impossibile, 4. sport, 5. occupazione

Unità 1
page 19

Possible questions for A:
- Sono previsti corsi intensivi / specifici?
- L'alloggio è solo in famiglie?
- Sono previste gite o escursioni nei fine settimana?

Unità 2
page 35

Curriculum Vitae

INFORMAZIONI PERSONALI
Nome: Paolo Freddi
Data e luogo di nascita: 5 luglio 1980, Torino
Stato civile: celibe
Indirizzo: Corso dei Mille, Torino
Telefono: 340.112233
E-mail: freddino@tiscali.it
Nazionalità: italiana

ISTRUZIONE E FORMAZIONE
TITOLI DI STUDIO
a.a. 2004-2005: Politecnico di Torino. Laurea in **INGEGNERIA ELETTRONICA** (votazione: 110/110).
a.a. 2005-2006: Politecnico di Milano. Master in **TECNOLOGIA DELL'INFORMAZIONE**.

CONOSCENZA DELLE LINGUE
INGLESE: Ottima comprensione e produzione scritta e orale.
FRANCESE: Buona comprensione scritta e orale, buona produzione scritta e orale.

PRATICA DEI SISTEMI INFORMATICI
Buona conoscenza dei sistemi operativi MS-DOS, WINDOWS e Mac Os.
Buona conoscenza dei programmi Office e AppleWorks. Ottima conoscenza di Word, Publisher e Adobe Photoshop.

ESPERIENZE LAVORATIVE
2006-2007: Tirocinio di sei mesi presso il Gruppo *Star Communication* come membro dello staff tecnico degli studi di registrazione audio-visivi.

Questions for A (traces):
- Vorrei sapere qualcosa di più sul trattamento economico.
- Qual è l'orario di lavoro?
- Se tutto va bene, quando avreste bisogno di me?

Unità 3
page 50

Traces for A:
- Vorrei avere delle informazioni su un vaggio in Italia di 4-5 giorni, economico e interessante.
- Mi piacerebbe visitare Roma e le città più importanti d'Italia.
- Gli alberghi di che categoria sono?
- Cosa significa "mezza pensione"?
- Con quale compagnia aerea voleremo?
- Che cosa è compreso nel prezzo e cosa non lo è?

Unità 5
page 79

Lista, secondo gli psicologi, delle maggiori cause che provocano stress:

1. Problemi familiari
2. Matrimonio
3. Perdita del lavoro
4. Problemi nel lavoro / a scuola
5. Gravidanza
6. Cambiamento situazione economica
7. Cambiamento abitudini personali

8. Difficoltà economiche
9. Figlio/a che lascia la casa
10. Frequentare una nuova scuola
11. Fine di una relazione sentimentale
12. Cambiamento di casa
13. Esame importante
14. Lite con un amico

Unità 1
page 19

Material for **B**:

CORSI ESTIVI			
classico	**intensivo**	**super-intensivo**	**lingua e cultura**
2 ore al giorno per 4 settimane (40 ore) € 300	4 ore al giorno per 4 settimane (80 ore) € 470	6 ore al giorno per 4 settimane (120 ore) € 680	lingua: 4 ore al giorno cultura: 5 ore a settimana per 4 settimane (100 ore) € 750

Corsi supplementari	settimane	ore	prezzo
Cucina italiana	3	12	€ 150
Arte italiana	3	12	€ 170

Periodi dei corsi		
1 giugno – 1 luglio	2 luglio – 2 agosto	3 settembre – 3 ottobre

Alloggio	prezzi indicativi (a persona)
In famiglia con colazione	
Stanza singola	€ 400-480
Stanza doppia	€ 300-350
Appartamento con altri studenti (con uso cucina)	
Stanza singola	€ 330-370
Stanza doppia	€ 270-330

Sono inoltre previste due escursioni:
1. Visita di Firenze e dei suoi monumenti più importanti (seconda settimana)
2. Gita nei dintorni di Firenze: S. Gimignano, Siena e Pisa (terza settimana)

Unità 2
page 35

*Material for **B***:

Curriculum Vitae

INFORMAZIONI PERSONALI
Nome: Paolo Freddi
Data e luogo di nascita: 5 luglio1980, Torino
Stato civile: celibe
Indirizzo: Corso dei Mille, Torino
Telefono: 340.112233
E-mail: freddino@tiscali.it
Nazionalità: italiana

ISTRUZIONE E FORMAZIONE
TITOLI DI STUDIO
a.a. 2004-2005: Politecnico di Torino. Laurea in **INGEGNERIA ELETTRONICA** (votazione: 110/110).
a.a. 2005-2006: Politecnico di Milano. Master in **TECNOLOGIA DELL'INFORMAZIONE**.
CONOSCENZA DELLE LINGUE
INGLESE: Ottima comprensione e produzione scritta e orale.
FRANCESE: Buona comprensione scritta e orale, buona produzione scritta e orale.

PRATICA DEI SISTEMI INFORMATICI
Buona conoscenza dei sistemi operativi MS-DOS, WINDOWS e Mac Os.
Buona conoscenza dei programmi Office e AppleWorks. Ottima conoscenza di Word, Publisher e Adobe Photoshop.

ESPERIENZE LAVORATIVE
2006-2007: Tirocinio di sei mesi presso il Gruppo *Star Communication* come membro dello staff tecnico degli studi di registrazione audio-visivi.

*Questions for **B** (traces)*:
- Sarebbe disposto a fare viaggi di lavoro all'estero almeno una volta al mese?
- Secondo lei, quali sono le sue qualità più grandi, nel lavoro?
- Che cosa sa della nostra azienda?
- Sarebbe disposto ad un periodo di prova di tre mesi prima di cominciare?

Unità 3
page 50

Material for **B**:

AGENZIA DI VIAGGI *GIRAMONDO*
presenta la sua offerta del mese:
LE CITTÀ DEI SOGNI
CINQUE GIORNI A ROMA-FIRENZE-VENEZIA

Durata: 5 giorni - 4 notti
Sistemazione: mezza pensione in alberghi di 2 e 3 stelle.
Volo: Alitalia
Lingue disponibili: inglese, francese, italiano, spagnolo, tedesco, giapponese
Tappe: Roma, Firenze, Venezia
Prezzo: 990 euro a persona

1° giorno: Roma
Arrivo all'aeroporto di Fiumicino e accoglienza. Visita ai Fori Imperiali e al Colosseo. Aperitivo in Piazza Navona. Cena e pernottamento in albergo.

2° giorno: Roma e Firenze
S. Pietro e i musei Vaticani, piazza di Spagna, Trinità dei Monti, Campidoglio. Pomeriggio: partenza per Firenze.

3° giorno: Firenze
Visita guidata del Museo dell'Accademia (*David* di Michelangelo) e passeggiata nel centro storico con guida bilingue.

4° giorno: Firenze
Ponte Vecchio, Galleria degli Uffizi, Giardini di Boboli. Pomeriggio: partenza per Venezia.

5° giorno: Venezia
Visita guidata della Cattedrale di San Marco, Ponte dei Sospiri e Palazzo dei Dogi. Sight-seeing in vaporetto per il Canale Grande.
Alle 15 imbarco per il volo di ritorno.

- *Sono inclusi nel prezzo: biglietti per l'entrata nei musei e la visita a monumenti, spostamenti in pullman da una città all'altra.*

Traces for **B**:
- In Italia, con "mezza pensione" si intende un trattamento che comprende pernottamento, prima colazione e pranzo o cena, a scelta.
- Il prezzo non comprende: i pranzi o le cene al di fuori della mezza pensione, le bevande e i cibi consumati durante il resto della giornata e… il volo!
- Non è possibile cancellare il viaggio. In caso di impossibilità l'agenzia non restituirà alcuna parte dell'importo pagato dal cliente.

UNITÀ 1 *Esami... niente stress!*

I PRONOMI DIRETTI - DIRECT OBJECT PRONOUNS

- As we saw in *The Italian Project 1b*, direct object pronouns are personal pronouns that mostly function as direct objects (they can substitute a person or a thing). Direct pronouns have an unstressed form (**mi, ti, lo, la, La, ci, vi, li, le**), which precedes the verb (pronoun + verb) and with which the action is emphasised, and a stressed form (**me, te, lui, lei, Lei, noi, voi, loro**), which follows the verb (verb + pronoun) and with which greater emphasis is given to the pronoun.
  When the verb is in the imperative, the gerund, the past participle or the infinitive the pronoun usually follows the verb.
- In compound tenses, when there is an unstressed direct object pronoun which precedes the verb, the agreement in gender and number of the past participle with the auxiliary *avere*:
  a. is mandatory with **lo, la, li, le** and **ne**:
    -Hai incontrato le ragazze? -Sì, le ho incontrate = *-Have you met the girls? -Yes, I've met them.*
    -Hai comprato i libri? -Sì, ne ho comprati due = *-Have you bought the books? -Yes I have bought two.*
  b. is optional with **mi, ti, ci, vi**:
    -Lo sai che ho visto te e Alessandra? -Dove ci hai visto?/Dove ci hai viste? = -Did you know that I saw you and Alessandra? -Where did you see us?

I PRONOMI INDIRETTI - INDIRECT OBJECT PRONOUNS

- Indirect object pronouns are personal pronouns that function as indirect objects. They also have an unstressed form (**mi, ti, gli, le, Le, ci, vi, gli**), which precedes the verb (pronoun + verb) and with which the action is emphasised, and a stressed form (**a me, a te, a lui, a lei, a Lei, a noi, a voi, a loro**), which follows the verb (verb + pronoun) and with which greater emphasis is given to the pronoun.
  The pronoun usually follows the verb when the verb is in the imperative, the gerund, the past participle or the infinitive.
- The unstressed indirect pronoun **gli**, as can be seen, is used in the 3rd person singular masculine and in the 3rd person plural masculine and feminine. In the latter case **gli** can be substituted by the corresponding stressed indirect pronoun which, however, is written without the preposition and is always placed after the verb: *Gli parlo spesso > Parlo loro spesso = I often speak with them.*

I PRONOMI COMBINATI - COMBINED PRONOUNS

- Combined pronouns are formed by unstressed indirect object pronouns in combinations with the unstressed direct object pronouns in the 3rd person singular and plural (**lo, la, La, li, le**) and with the pronominal particle **ne**. The indirect object pronoun always precedes the direct one or *ne*.

> **me lo/la/li/le/ne**
> **te lo/la/li/le/ne**
> **glielo/gliela/glieli/gliele/gliene**
> **ce lo/la/li/le/ne**
> **ve lo/la/li/le/ne**
> **glielo/gliela/glieli/gliele/gliene**

- In the 1st and 2nd person singular and plural, the combined pronoun is formed by the indirect object pronoun (the vowel *i* is transformed in *e*: **me, te, ce, ve**) + the direct object pronoun or *ne*:
  -Mi dai il numero di telefono di Stefano? -Sì, te lo do subito = *-Would you give me Stefano's telephone number? -Yes, I'll give you it right away.*
  -Ci dirai la verità? -Sì, ve la dirò = *-Will you tell us the truth? -Yes, I will tell you it.*
  -Quanti piatti ci cucini per il pranzo di Natale? -Ve ne cucinerò parecchi = *-How many dishes will you make us for Christmas dinner? -I will cook you a lot.*
- In the 3rd person singular and plural, the combined pronoun, being only one word, is made up of an indirect object pronoun (*gli* and *le* take on a single form: **glie...**) + the direct object pronoun or *ne*:
  -Porti tu i libri a Paolo? -Sì, glieli porto io = *-Will you take the books to Paolo? -Yes, I will take them to him.*

-Quanti esami sono rimasti a tuo fratello per laurearsi? -Gliene sono rimasti due = *-How many exams does your brother have left to graduate? -He has two left.*

- Combined pronouns always precede the verb. Nevertheless, the pronoun usually follows the verb when the verb is in the imperative, the gerund, the past participle or the infinitive.
  In compound tenses, the past participle agrees in gender and number with the direct pronouns **lo**, **la**, **li**, **le** and the pronominal particle **ne**, even when these are part of a combined pronoun which precedes the verb:
  *-Mi hai portato i giornali? -Sì, **te li** ho portati* = *-Did you bring the newspapers? -Yes, I brought them to you.*
  *-Quante e-mail ti ha spedito Maria? -**Me ne** ha spedite tante* = *-How many e-mails has Maria sent you? -She has sent me many.*

- With the modal verbs *potere*, *dovere*, *volere* and *sapere*, always followed by an infinitive, combined pronouns can either precede the verb or follow it, joining the infinitive and forming a single word: in both cases the meaning does not change: ***Glielo** devo dire/Devo dir**glielo*** = *I must tell him/her/them.*

AGGETTIVI E PRONOMI INTERROGATIVI
INTERROGATIVE ADJECTIVES AND PRONOUNS

- **Chi** (*who*, *whom*): is only a pronoun. It is invariable and refers to a person:
  *Con **chi** andrai al cinema?* = *Who will you go to the cinema with?*
  ***Chi** sono questi ragazzi?* = *Who are these guys?*

- **Che**, **Che cosa**, **Cosa** (*which*, *what*): *che* is both an adjective and a pronoun; *che cosa* and *cosa* are only pronouns. They are invariable and they refer to things:
  ***Che** fretta c'era di andare via?* = *What rush was there to leave?*
  ***Che** (**Che cosa**, **Cosa**) è successo?* = *What's happened?*

- **Quale/i** (*which*, *what*, *who*, *whom*): is both an adjective and a pronoun. It is variable only in number, that is, it has singular and plural, but it has only one form for masculine and feminine. It refers to various people or things. Before a vowel, *quale* is shortened into **qual** and never takes an apostrophe:
  ***Quali** sono i libri che hai scelto?* = *Which are the books you have chosen?*
  ***Qual** è il film che ti è piaciuto di più?* = *Which was the film you liked the most?*

- **Quanto/a/i/e** (*how much*, *many*, *how long*): is both an adjective and a pronoun. It is variable in both gender and number. It introduces a question about quantity and it refers to people and things:
  ***Quante** volte sei stato in Italia?* = *How many times have you been to Italy?*
  *Da **quanto** non ci vediamo?* = *How long has it been since we saw each other?*

- Interrogative adjectives and pronouns also have an exclamatory function:
  *Ma **che** dici!* = *What are you saying!*
  ***Quanti** libri!* = *What a lot of books!*

AVVERBI INTERROGATIVI - INTERROGATIVE ADVERBS

Interrogative adverbs are always invariable. They are:
- **Dove** (*where*): ***Dov'**è la mia borsa?* = *Where is my purse?*
- **Quando** (*where*): ***Quando** verrai a trovarmi?* = *When will you come to see me?*
- **Come** (*how*): *Ma **come** mi hai trovato?* = *But how did you find me?*
- **Quanto** (*how much*): ***Quanto** hai speso per il viaggio?* = *How much did you spend on the trip?*
- **Perché** (*why*): ***Perché** piangi?* = *Why are you crying?*

Interrogative adverbs also have an exclamatory function:
- ***Com'**è piccolo il mondo!* = *Oh, how small the world is!*
- ***Dove** sono capitato!* = *Where have I ended up!*

UNITÀ 2 *Soldi e lavoro*

I PRONOMI RELATIVI - RELATIVE PRONOUNS

- **Che** (*who*, *which*, *that*): is a relative pronoun, it is invariable, and it is never preceded by a preposition. It introduces a subordinate clause, where it can substitute:

a. both the subject of the subordinate clause:

*Il signore, **che** parla in tv, è un mio professore* = *The man who is speaking on TV is a professor of mine.*

b. both the direct object and the complement of the subordinate clause:

*Le scarpe **che** vorrei comprare sono troppo care* = *The shoes (which) I'd like to buy are too expensive.*

In compound tenses with the auxiliary *avere*, even when the relative pronouns precede the verb as for example with unstressed direct object pronouns the past participle never changes:

*Questi ragazzi **li** ho incontra**ti** ieri* = *I met these people yesterday.*

*Questi sono i ragazzi **che** ho incontra**to** ieri* = *These are the guys I met yesterday.*

- **Il quale** (*which*): is a relative pronoun that is variable in gender (**il quale/la quale**) and in number (**i quali/le quali**). It can very well substitute the invariable relative pronoun *che* only when it functions as the subject, not the direct object of the sentence:

*Io ho comprato un paio di scarpe, **che** sono molto belle ma molto care* = *I bought a pair of shoes which/that are very nice but very expensive.* (**che** - subject)

*Io ho comprato un paio di scarpe, **le quali** sono molto belle ma molto care* = *I bought a pair of shoes which/that are very nice but very expensive.*

*Le scarpe, **che** vorrei comprare, sono molto care* = *The shoes which I'd like to buy are very expensive.* (**che** - direct object)

~~*Le scarpe, **le quali** vorrei comprare, sono molto care.*~~

In general, the relative pronoun **il quale** substitutes the relative pronoun *che* when a sentence casts doubts:

*Ho incontrato la ragazza di Michele **che** lavora in banca* = *I met Michele's girlfriend who works in a bank.* Who works in a bank? Michele or his girlfriend? In these cases the variable relative pronoun *il quale* helps to clarify: *Ho incontrato la ragazza di Michele, **la quale** lavora in banca* = *I met Michele's girlfriend who works in a bank.* (the girl works in a bank)

*Ho incontrato la ragazza di Michele, **il quale** lavora in banca* = *I met Michele's girlfriend who works in a bank.* (Michele himself works in a bank)

- **Cui** (*whose, who, whom*): is an invariable relative pronoun that only performs the function of indirect object, and as such it is always preceded by a simple preposition:

*I ragazzi **con cui** uscirò domani sono i miei vecchi compagni di scuola* = *The guys with whom I'm going out tomorrow are old classmates.*

Often when **cui** is preceded by the preposition *a*, this becomes optional.

*La persona della mia famiglia **(a) cui** sono più legato è mia madre* = *The person in my family who(m) I'm closest to is my mother.*

The relative pronoun **cui** can never be substituted by the relative pronoun *che*, but only by the relative pronoun *il quale* preceded by the corresponding articulated preposition:

*La persona **con cui** ho parlato* = *The person with whom I have spoken.*

~~*La persona **che** ho parlato.*~~

*La persona **con la quale** ho parlato.*

The relative pronoun **cui** functions as a complement of specification (*di chi? di che cosa?*) when it is between a definite article (*il/la/i/le*) and a noun. The article agrees with the noun that follows:

*Italo Svevo, **il cui** vero nome era Ettore Schmitz, è nato a Trieste nel 1861* = *Italo Svevo, whose real name was Ettore Schmitz, was born in Trieste in 1861.* (*il nome del quale* = *whose real name*)

If the relative pronoun *cui* is substituted by the relative pronoun *il quale* preceded by a preposition *di*, as can be seen, the compound preposition agrees in gender and number with the subject of the sentence:

*Italo Svevo, il nome **del quale** era Ettore Schmitz, è nato a Trieste nel 1861* = *Italo Svevo, whose name was Ettore Schmitz, was born in Trieste in 1861.*

Here are two examples of peculiar forms with the use of the relative **cui**:

*Alberto, **alla cui** festa c'ero anch'io, ha compiuto cinquant'anni* = *Alberto, whose party I also went to, turned fifty years old.* (*alla festa del quale* = *whose party*)

*Perché la frutta, **sulle cui** proprietà tanto si è parlato, non la mangia nessuno?* = *Why is the fruit, whose properties have been so widely discussed, not eaten by anyone?* (*sulle proprietà della quale* = *whose properties*)

Among relative pronouns other pronouns, the so-called double pronouns, must also be remembered (relative demonstrative and relative indefinite):

- **Chi** (*who, whom*): is only used in the singular as both a subject and an object, even though it can indicate a plural.

It is invariable and can be substituted by a demonstrative pronoun + a relative pronoun: **quello che** (*the one who*) / **colui che** (*he who*) / **la persona che** (*the person who*), **quella che** (*that woman who*) / **colei che** (*she who*) / **la persona che** (*the person who*), **quelli/e che** (*those who*) / **coloro che** (*those who*) / **le persone che** (*the people who*):

Chi cerca, trova / Colui/Colei che cerca, trova = He who looks finds; Coloro che cercano, trovano = Those who look find.

Chi pratica uno sport si sente meglio di chi non lo pratica = Whoever does sports feels better than those who don't.

- **Quanto** (*all that, what*): in singular it has a neutral value and can be substituted by (**tutto**) **quello/ciò che** = *all that what*:

  Ti comprerò quanto desideri / Ti comprerò (tutto) quello/ciò che desideri = I'll buy you whatever you wish / I'll buy you (all) that you desire / what you desire.

- **Quanti/e** (*those*): the plural indicates people and can be substituted by (**tutti/e**) **quelli/e che** = *(all) those who*:

  Quanti/e desiderano maggiori informazioni possono visitare il nostro sito = Those who wish further information can contact our website.

  (Tutti/e) Quelli/e che desiderano maggiori informazioni possono visitare il nostro sito = Those who / Anyone who wish further information can contact our website.

- The relative pronoun **che**, preceded by the definite article *il* (**il che**) refers to neither a person nor an object. It is a "neutral" relative pronoun in that it functions as a substitute for a previous sentence which has not gender. **Il che** means *cosa che, e ciò* (*which, and that*):

  La poca neve sull'asfalto si è ghiacciata subito, il che ha causato numerosi incidenti sulle strade = The little snow on the asphalt froze immediately, which has caused numerous road accidents.

STARE + GERUNDIO E *STARE PER* + INFINITO
STARE + GERUND AND *STARE PER* + INFINITIVE

These are circumlocutions/multi-word expressions, also called phraseology, and they highlight a specific aspect of the action.

- **Stare + gerund**: highlights the progressive aspect of an action, in other words the action as it occurs. It is a form that can only be used in simple tenses: the verb *stare* is conjugated in the desired tense and mood + the *present of the gerund*. For the present of the gerund see *The Italian Project 2b*, page 88:
  - verbs of the first conjugation in *-are* > **-ando**: lavor**are** - lavor**ando**
  - verbs in the second conjugation *-ere* > **-endo**: legg**ere** - legg**endo**
  - verbs of the third conjugation in *-ire* > **-endo**: usc**ire** - usc**endo**

  *Ieri, quando hai telefonato, **stavo lavorando**, per questo non potevo parlare molto = I was working when you called yesterday, that's why I couldn't talk long.*

  ***Sto leggendo** un bel libro, appena lo finisco te lo presto = I'm reading a good book; as soon as I'm done I'll lend it to you.*

- **Stare per + infinitive**: highlights the proximity of the action, indicates a future action that should happen within a brief amount of time:

  *-Cosa fai? -**Sto per uscire**, vuoi venire con me? = -What are you doing? -I'm about to leave; do you want to come with me?*

UNITÀ 3 *In viaggio per l'Italia*

I VERBI *FARCELA* E *ANDARSENE* - THE VERBS *FARCELA* AND *ANDARSENE*

The verbs **farcela** and **andarsene** are the so-called pronominal verbs.

- The verb **farcela** has the meaning of:
  a. succeeding in something, in the sense of achieving something: *Andrea ce l'ha fatta a vincere il concorso = Andrea managed to win the contest.*
  b. succeed in finishing something: *Ce la devo fare a finire questo libro oggi! Da domani riprendo il lavoro = I must be able to finish this book today! As of tomorrow I'll start working again.*
  c. indicating that a situation has become unbearable: *Se non ce la fai più a vivere nella stessa casa con Marina, vai via! = If you can't handle living in the same house as Marina, leave!*

- The verb **andarsene** has the meaning of:

  a. *andare via da un luogo per andare in un altro* (leaving a place to go to another), *allontanarsi* (to go away), *partire* (to leave): *Noi **ce ne andiamo**, siamo stanchi. A domani!* = We're leaving; we're tired. See you tomorrow!

  b. in a figurative sense, *passare* (to pass), *trascorrere* (to spend), *morire* (to die): *I giorni **se ne vanno** e voi siete ancora al punto di partenza* = Days pass and you are still at the starting point.

COMPARAZIONE DELL'AGGETTIVO TRA DUE NOMI O PRONOMI
COMPARISONS OF THE ADJECTIVE BETWEEN TWO NOUNS OR PRONOUNS

Comparisons can be made between adjectives, adverbs, nouns, and verbs.

We compare adjectives when two or more nouns or personal pronouns (*io, tu, lui*, etc., not preceded by a preposition) have the same quality or characteristic, and we want to point out that one of these nouns has a greater, lesser, or equal degree of this quality. If the comparison exists between two people, things, animals, pronouns not preceded by a preposition, number adjectives or adverbs, we have:

I) Comparisons of inequality:

- **greater degree**: the adverb **più** is placed before the adjective and the preposition **di** before the second term of comparison: *Giorgio è **più** studioso **di** me* = Giorgio is more studious than I.
- **lesser degree**: the adverb **meno** is placed before the adjective and the preposition **di** before the second term of comparison: *Maria è **meno** bella **di** Anna* = Maria is less pretty than Anna.

II) Comparisons of equality:

- **equal degree**: the adjective is alone, or is preceded by **tanto** (**così**), and the second term of comparison is preceded by **quanto** (**come**): *Giorgio è **(tanto)** studioso **quanto** me* = Giorgio is as studious as I; *Maria è **(così)** bella **come** Anna* = Maria is as pretty as Anna.

COMPARAZIONE TRA DUE AGGETTIVI, VERBI O NOMI
COMPARISONS BETWEEN TWO ADJECTIVES, VERBS OR NOUNS

Che is placed before the second term of comparison when the comparison takes place*:

- between two qualities with regard to the same term or between two qualifying adjectives:
  *Maria è **più/meno** simpatica **che** bella* = Maria is more/less friendly than pretty.
- between verbs in the infinitive:
  *Spendere è **più** facile **che** guadagnare* = Spending money is easier than making it.
- between nouns: *Nella classe ci sono **meno** ragazze **che** ragazzi* = There are fewer girls than boys in the class.
- when the first and the second term of comparison are preceded by a preposition:
  *In inverno sono più triste **che** in estate* = In the winter I'm sadder than in the summer.
  *Sul tuo conto corrente ci sono **più/meno** soldi **che** sul mio!* = There is more/less money in your bank account than in mine!

* The modifications apply only to the comparative of superiority and inferiority. The comparisons of equality remain unchanged.

SUPERLATIVO RELATIVO - RELATIVE SUPERLATIVE

It is the relative superlative of superiority and inferiority, when the quality is expressed respectively by its highest and lowest degree in relation to a group of people or things. We can have the sequence:

- **il/la/i/le più/meno** + adjective, the term which represents the group is always preceded by the preposition **di** or **tra**:
  *Maria è **la più** bella **della** classe* = Maria is the most beautiful girl in the class.
  *Giorgio è **il meno** simpatico **tra** loro* = Giorgio is the least friendly of them.
- definite article + noun + **più/meno** + adjective, the term which represents the group is always preceded by the preposition **di** or **tra**:
  *È **l'uomo più** ricco **della** città* = He's the richest man in town.
  *Ha comprato **la** macchina **meno** costosa **tra** quelle in vendita* = He bought the cheapest car among those on sale.

SUPERLATIVO ASSOLUTO - ABSOLUTE SUPERLATIVE

The absolute superlative is used when the quality is expressed in the highest degree without any comparison.

- The absolute superlative is formed by the adjective, whose ending is substituted by the suffix **-issimo/a/i/e**:

  *Maria è **bellissima*** = *Maria is very beautiful.*

  *I tuoi amici sono **simpaticissimi*** = *Your friends are extremely amiable.*

There are other ways to form an absolute superlative:

- when the adjective is preceded by some prefixes: **arci-**, **stra-**, **ultra-**, **super-**, **sopra-** and **sovra-**, **iper-**, **extra-**:

  *Sono **arcicontento** (= contentissimo) = I'm super happy.*

  *Il signor Rigoli è **straricco** (= ricchissimo) = Mr Rigoli is overly rich.*

  *È uno stile **ultramoderno** (= modernissimo), forse non piacerà a tutti = It's an ultra modern style, perhaps not everyone will like it.*

- when the same adjective is repeated twice: **piano piano** (= *pianissimo, super slowly*), **bianco bianco** (= *bianchissimo, extremely white*), **forte forte** (= *fortissimo, extremely strong/loud*) and such.

- thanks to some idiomatic expressions: **stanco morto** (= *stanchissimo, dead tired*), **ricco sfondato** (= *ricchissimo, filthy rich*), **povero in canna** (= *poverissimo, very poor*), **innamorato cotto** (= *innamoratissimo, blindly in love*), **pieno zeppo** (= *pienissimo, full to the rim*), **ubriaco fradicio** (= *ubriachissimo, drunk as a skunk*) and such.

FORME PARTICOLARI DI COMPARATIVO E DI SUPERLATIVO
IRREGULAR FORMS OF COMPARATIVE AND SUPERLATIVE

Some adjectives and adverbs, in addition to the regular forms of the comparative and superlative, present an irregular form which is very common:

adjectives	superiority comparative		absolute superlative	
buono	(più buono)	**migliore**	(buonissimo)	**ottimo**
cattivo	(più cattivo)	**peggiore**	(cattivissimo)	**pessimo**
grande	(più grande)	**maggiore**	(grandissimo)	**massimo**
piccolo	(più piccolo)	**minore**	(piccolissimo)	**minimo**
alto*	(più alto)	**superiore**	(altissimo)	**supremo/sommo**
basso*	(più basso)	**inferiore**	(bassissimo)	**infimo**

*Certain degrees of comparative and superlative are often used exclusively in terms of quality of a thing or person: *un cd di qualità **superiore*** = *a CD of superior quality*; *il **sommo** poeta Dante* = *the great poet Dante*; *un hotel di **infima** categoria* = *a hotel of the lowest category.*

adverbs	superiority comparative	absolute superlative
molto	**più**	moltissimo
poco	**meno**	pochissimo
bene	**meglio**	benissimo
male	**peggio**	malissimo

UNITÀ 4 *Un po' di storia*

IL PASSATO REMOTO - THE PRETERIT

The *passato remoto* (preterit) expresses an action that happened and was concluded in the past and it is used:

- for actions far back in time, historical actions and actions not linked to the present:

  *Alessandro Magno **arrivò** anche in India* = *Alexandre the Great also arrived in India.*

- actions which the speaker does not find interesting and in which he/she is not involved emotionally and, by choosing the *passato remoto* (preterit) instead of the *passato prossimo* (present perfect), he/she shows this disinterest, this "emotional distance", this "psychological distance" from the action itself. It involves a choice of style and subjectivity:

  *Circa un anno fa **ho incontrato** per caso Stefania* = *About a year ago I ran into Stefania by chance.*

  *Circa un mese fa **incontrai** per caso Stefania* = *About a month ago I ran into Stefania by chance.*

- in written language (especially fables and literary stories) and less so in spoken language (with the exception of

South and parts of Central Italy, where the *passato remoto* (preterit) is preferred to the *passato prossimo* (present perfect).

*Pinocchio non **ascoltò** babbo Geppetto e **uscì** ugualmente di casa* = Pinocchio didn't listen to papa Geppetto and left home anyway.

*Ieri sera **andai** da Carla* = Yesterday I went to Carla's.

I NUMERI ROMANI - ROMAN NUMERALS

Roman numerals can be used like ordinal number adjectives (first, second and such).

- Usually they precede the noun which they refer to:

  *Il **XX** (ventesimo) secolo è stato caratterizzato da importanti scoperte tecnologiche* = The 20th century was characterized by important technological discoveries.

  *Antonio ha finito di frequentare la **II** (seconda) media* = Antonio finished attending the 7th grade.

- Sometimes, however, when the order of succession of pontiffs, kings, princes is indicated or when a numeric succession is highlighted (of scenes, acts, chapters or songs, of a theatre script or literary), we express the ordinal numbers with Roman numerals after the names they refer to:

  *Vittorio Emanuele **II** (secondo) fu il primo re d'Italia* = Vittorio Emanuele II was the first king of Italy.

  *La scena **I** (prima) dell'atto **IV** (quarto) dell'Aida si svolge in una sala del palazzo del re* = The first scene of act IV of Aida takes place in a dinning room in the king's palace.

IL TRAPASSATO PROSSIMO - THE REMOTE PLUPERFECT

The *trapassato prossimo* (remote pluperfect) expresses a completed action that occurred prior to another expressed with the verb in the *passato remoto* (preterit).

The *trapassato prossimo* (remote pluperfect) is rarely used and it is found mostly in written language in that it can be used only in secondary temporal sentences introduced by **quando**, **dopo che**, **(non) appena**:

*Appena **fu uscito** di casa, iniziò a correre* = As soon as he left home, he started running.

GLI AVVERBI DI MODO - ADVERBS OF MANNER

Adverbs of manner (which answer the question: *come? in che modo?*) express the way in which the action expressed by the verb occurs or rather describes the word it refers to.

- Adverbs of manner can be formed by:

  a. adding the suffix **-mente** to the singular feminine form of a descriptive adjective (ending in *-a*): *libera > libera**mente*** = freely, *lenta > lenta**mente*** = slowly.

  b. adding the suffix **-mente** to the singular form of a descriptive adjective (ending in *-e*): *veloce > veloce**mente*** = quickly, *intelligente > intelligente**mente*** = intelligently.

  c. adding the suffix **-mente** to the singular form of a descriptive adjective with the ending syllable *-le* or *-re* (dropping the last vowel *-e*): *facile > facil**mente*** = easily, *particolare > particolar**mente*** = particularly.

- Some particular forms are: **leggermente** (<u>not</u> *leggera-mente*) = lightly, **benevolmente** (<u>not</u> *benevola-mente*) = benevolently, **violentemente** (<u>not</u> *violenta-mente*) = violently, **altrimenti** (<u>not</u> *altra-mente*) = otherwise.

- In addition, there are singular masculine adjectives also functioning as adverbs of manner, in that they modify the meaning of the verb that accompanies them:

  *Parla **chiaro**!* = Speak clearly!, *Vada **dritto**!* = Go straight!

- Lastly, there are some adverbs of manner of Latin origin which are neither derived from adjectives nor do they coincide with adjectives, such as: **bene** (*well*), **male** (*badly*), **così** (*like that*), **volentieri** (*willingly*), **insieme** (*together*) etc:

  *Luigi si è comportato **bene*** = Luigi behaved well.

  *Io e Filippo abitiamo **insieme** da dieci anni* = Filippo and I have been living together for 10 years.

UNITÀ 5 *Stare bene*

IL MODO CONGIUNTIVO - THE SUBJUNCTIVE MOOD

The subjunctive is the mood with which the speaker expresses a doubt, an uncertainty, or a subjective opinion, contrary to the indicative which represents the mood of reality and certainty.

IL CONGIUNTIVO PRESENTE E PASSATO
THE PRESENT AND PAST SUBJUNCTIVE

The present and past subjunctive are mainly used in subordinate clauses, dependent on a main clause, when main clause and subordinate clause have two different subjects and when:

- the verb of the main clause expresses: **a subjective opinion**, **an assumption**, **uncertainty**, **ignorance**, **will**, **desire**, **mood**, **hope**, **wish**, **expectation** or **fear** (see examples on page 153):

  *Credo che lui **sia** onesto = I think he's honest.*

  *Non sono sicuro che **abbiano capito** bene = I'm not sure they understood well.*

  *Sono felice che **ti sia laureata** = I'm happy that you have graduated.*

  *Aspetta che **si calmi** per poterle parlare = Wait until she's calmed down before speaking to her.*

  *Ho paura che **abbiate sbagliato** ancora una volta = I'm afraid that you've made a mistake again.*

- the main clause contains an expression with an impersonal verb (see examples on page 153):

  *Si dice che il nuovo allenatore della Juventus **sia** una persona in gamba = People say that the new Juventus coach is on the ball.*

  *È probabile che voi **abbiate capito** male = It's probable that you've misunderstood.*

  *È meglio che tu **parta** subito = It's better if you leave soon.*

- the subordinate clause is introduced by one of the following conjunctions: **benché** (*though*), **sebbene** (*although*), **nonostante** (*in spite of*), **malgrado** (*despite*), **purché** (*as long as*), **a patto che** (*provided that*), **a condizione che** (*on the condition that*), **basta che** (*it's enough that*), **senza che** (*unless*), **nel caso (in cui)** (*in the case that*), **affinché** (*so that*), **perché** (*so that*), **prima che** (*before*), **a meno che** (*except that, unless*), **tranne che** (*with the exception of*):

  *Benché tu **sia** stanco, devi studiare = You need to study even though you are tired.*

  *Ti presto la moto a patto che **guidi** con prudenza = I'll lend you the car as long as you drive carefully.*

- the subjunctive is introduced by a superlative:

  *È l'uomo più onesto che io **abbia** mai **conosciuto** = He's the most honest man I've ever known.*

- the subordinate clause is connected to the main sentence by an adjective or an indefinite pronoun: **chiunque** (*whoever*), **qualsiasi** (*whichever*), **qualunque** (*any*), **(d)ovunque** (*anywhere*), **comunque** (*anyway*), **l'unico/il solo che** (*the only one that*), **non c'è nessuno che** (*there is noone who*). See examples on page 154:

  *Non c'è nessuno che **sappia** indicarmi la strada? = Isn't there anyone who can give me directions?*

- the subordinate clause is an indirect interrogative one:

  *Mi chiedo come **faccia** ad arrivare sempre in ritardo = I wonder how it's possible for him/her to always arrives late.*

- the subordinate clause is a relative one that expresses a possibility:

  *Il direttore cerca una segretaria che **conosca** bene tre lingue = The director is looking for a secretary who knows three languages well.*

- to give a certain emphasis, we invert the natural order of the clause: the subordinate clause introduced by *che*, precedes the main clause which uses, in general, the verbs *sapere* and *dire*. In this case, note the use of the direct pronoun *lo* which performs the function of repeating the entire subordinate clause:

  *Che il fumo **faccia** male, lo sanno tutti > Tutti sanno che il fumo fa male = Everyone knows that smoking is bad for you.*

  *Che lui **sia** bello, lo dicono tutti > Tutti dicono che lui è bello = Everyone says that he is handsome.*

The present and past subjunctive are also used in independent clauses, when:

- there is a question expressing doubt, very often introduced by *che* and/or by the verb *essere*:

  *Che **sia** Rossella? = Is it Rossella?*

  *Dov'è la mia borsa? = Where is my bag?; Che **sia andata** smarrita? = Has it been lost?*

- the sentence expresses an indirect command, an invitation or a request.

  *Non mi va di accompagnarla. Che **prenda** un taxi! = I don't feel like accompanying her. She can take a taxi!*

  *Non **abbia** paura! = Don't be afraid!*

- the sentence expresses a desire. In general, in this case, the subjunctive is accompanied by *che*, *almeno*, *se*, *voglia il cielo che*:

  *Voglia il cielo che non **venga** mai quel giorno! = May the heavens never let that day come!*

  *Che **vinca** il migliore! = May the best one win!*

We use the indicative and infinitive moods, and not the subjunctive mood, when:

- the subject is identical, that is, when the subjects of the main clause and the subject of the subordinate clause are the same. In this case we use the verb in the infinitive form (*di* + infinitive):

  *Sono felice che tu **venga** in Italia* = *I'm happy that you'll come to Italy.* (different subjects)

  *Sono felice **di venire** in Italia* = *I'm happy to come to Italy.* (same subject)

- there are impersonal verbs that express need not followed by *che* but by a verb in the infinitive:

  *Bisogna che tu **faccia** presto* = *You need to hurry.*

  ***Bisogna fare** presto* = *It is necessary to hurry.*

- there are impersonal expressions formed with the 3rd person singular of the verb *essere* + an adjective followed by an infinitive:

  *È meglio che io **parta** subito* = *I'd better leave immediately.*

  ***È meglio partire** subito* = *It's better to leave immediately.*

- there are expressions such as **secondo me** (*in my opinion*), **forse** (*maybe*), **probabilmente** (*probably*):

  ***Forse** non gli **piace** la nostra compagnia* = *Maybe he doesn't / they don't like our company.*

- there are conjunctions such as **anche se** (*even though*), **poiché** (*since*), **dopo che** (*after that*): *Elisa ha superato gli esami anche se non aveva studiato molto* = *Elisa passed her exams even though she didn't study hard.*

167

GLOSSARY
CONTENTS

page

The words, in separate units, are listed as they appear, with clear reference to the part (*Student's book* or *Workbook*) and the section (A, B, C, D...). When a word is not stressed on the penultimate syllable, or when the stress is not clear, the stressed vowel is underlined (i.e.: *dialogo, farmacia*).

Abbreviations

avv.	avverbio	adverb
f.	femminile	feminine
m.	maschile	masculine
sg.	singolare	singular
pl.	plurale	plural
inf.	infinito	infinitive
p.p.	participio passato	past participle

Prima di... cominciare
STUDENT'S BOOK
1

comunicazione: communication
una prima volta: once, the first time
prendere appunti: to take notes
funzione: function
parere, *il*: opinion
rifiutare: to refuse
rammarico: regret

2

opportuno: appropriate
svolgere (*p.p.* svolto): to carry out, to do
correttamente (*avv.*): correctly
ripassare: to review, to revise
di ieri: of yesterday, yesterday's
inaugurazione: inauguration
dare una mano: to give a hand
spostare: to move
offendere (*p.p.* offeso): to offend

3

a vicenda: each other, one another

in seguito: afterward
ognuno di voi: each of you
riferire: to report

5

e così via: and so on

6

confrontare: to compare
genere, *il*: kind, type
cinematografico: film
stanza: room

7

fratellino: little brother
a un certo punto: at a certain point
accompagnare: to accompany
stava piangendo: he/she was crying
convincere (*p.p.* convinto): to convince
restituire: to return
ovviamente (*avv.*): obviously
farsi sentire: to make yourself heard, to let your voice be heard
accontentare: to satisfy, to make somebody content

neanche (*avv.*): neither, not even
colpa: fault
insistere (*p.p.* insistito): to insist
in fondo: come to think of it

8

per iscritto: in writing
passante: passer-by
verificare: to check, to verify

UNITÀ 1 *Esami... niente stress!*
STUDENT'S BOOK

stress, *lo*: stress

Per cominciare 1

scambiarsi: to exchange
materia: subject
ritenere: to consider
atlante, *l'* (*m.*): atlas
geografico: geographic
letteratura: literature
algebra: algebra
evoluzione: evolution
fisica: physics

manuale, *il*: manual

Per cominciare 3
gridare: to yell, to scream
ti servono...?: do you need...?
magari (*avv.*): maybe, I wish, if only
prestare: to lend
sfogliare: to browse
fotocopiare: to photocopy

A1
che c'è?: what is it?, what's the problem?
superare: to pass
caspita!: wow! good gracious, gosh!
assolutamente (*avv.*): absolutely
non ci credo: I can't believe it
solo che arrivi tardi: only that you arrive late
accidenti!: wow!, damn!
come faccio?: what should I do?
grazie lo stesso: thanks anyway
la parte sul Romanticismo: the part on Romanticism
Romanticismo: Romanticism
trentina: about thirty
mi raccomando: remember, don't forget
giusto il tempo di fotocopiarle: just enough time to photocopy them
dare indietro: to give back

A2
rivolgersi (*p.p.* rivolto): to address someone, to contact someone
risolversi (*p.p.* risolto): to resolve

A3
contrarietà: adversity

A4
accontentarsi (di): to settle for something, to make due with
anzi: in fact, on the contrary
copia: copy
pubblicare: to publish

A6
riferirsi (a): to refer to something

A7
trasformarsi: to transform oneself
rivedere (*p.p.* riveduto/rivisto): to see again, to revise, to review
consultare: to consult

B2
comportamento: behaviour
si figuri!: not at all! don't mention it!

B3
calpestare: to step on
distratto: absent-minded
gli/le vai addosso: you fall on him/her

B4
sostiene l'esame: he/she takes/sits an exam
sostenere: to take (an exam)
dunque: therefore
minore: minor
capitolo: chapter
andare avanti: to go forward
informato: informed
mandare via: to send away
frequentare: to frequent, to attend
tentare (di): to attempt, to try
copiare: to copy

B6
cornice, *la*: frame

tempo fa: some time ago
parecchio: several

B7
permesso: permission

C1
dove cavolo...?: where on earth...?
cavolo: cabbage, holy cow!
mettersi (con): to begin dating
ha vinto al totocalcio: he won at football pools (betting)
fare visita: to visit
ex: ex (boyfriend, wife, etc)
fidanzarsi: to become engaged, to date
tanto ormai non me ne frega più niente!: anyway I don't care anymore (about anything)!, I don't give a damn!
fregarsene: not to give a damn, not to care

C3
reagire: to react
riportare: to report
conoscente: acquaintance
annullare: to cancel
torinese: of Turin/Torino
in vista: ahead
a rischio: at risk

D1
tipo: guy

D2
dipendere (da) (*p.p.* dipeso): to depend

D3
significativo: significant

D4
esami di maturità: A-level exams, school-leaving examination
maturità: school-leaving certificate, maturity
coincidere (*p.p.* conciso): to coincide
tesina: essay, thesis
commovente: moving
incubo: nightmare
per quanto riguarda: regarding
preparazione: preparation
terribile: terrible
consegnare: to hand in
compito: homework, task
in bianco: in blank
inutile: useless
incorniciare: to frame
foglietto: sheet of paper (leaflet)
regalo di nozze: wedding gift
nozze: marriage, wedding
distaccato: detached
rispetto ai miei compagni: compared to my classmates
in pratica: in substance
limitarsi (a): to do only/just
rendersi conto (di): to realize something
terrorismo: terrorism
nell'aria: in the air
terrorizzato (*inf.* terrorizzare): terrorized
portafortuna, *il*: lucky charm

D6
di nascosto: in secret

E1
dipartimento: department
frequenza: frequency

prova: test, trial
esami di ammissione: entrance examination
ammissione: entrance, admissions
facoltà: college, faculty
obbligatorio: obligatory
ingresso: entrance, entry
(sono) previsti: expected, foreseen, provided for
italianistica: Italian language studies
comprendere (*p.p.* compreso): to include

E2
odontoiatria: dentistry
giurisprudenza: jurisprudence, law school
chirurgo: surgeon

E4
organizzazione: organization
materiale, *il*: material
informativo: informative
poiché: since, because
considerare: to consider
una delle migliori: one of the best
non ne vuole sapere: he/she doesn't want to hear/know about it, he/she won't hear about it
distanza: distance
mettere a rischio: to put something at risk
relazione: relationship

E5
intenzione: intention
studentesco: student, regarding students

Conosciamo l'Italia
La scuola...
asilo nido: day nursery school
asilo: nursery school, kindergarten
nido: nest
scuola materna: pre-school
materno: maternal
scuola dell'obbligo: compulsory education
obbligo: obbligation, compulsory
scuola elementare: elementary school
apprendere (*p.p.* appreso): to learn
nozione: notion
cultura generale: general culture
cultura: culture
guaio: trouble
scuola media: middle school
alunno: student, pupil
ottenere: to obtain
licenza media: middle school certificate
licenza: certificate, licence
scuola media superiore: secondary school, high school
scientifico: scientific
linguistico: linguistic
istituto: institute
tecnico: technical
professionale: professional
durata: duration
totalità: entirety
diploma di maturità, *il*: high school diploma
diploma, *il*: diploma, certificate
videolezione: video lesson
rendere (*p.p.* reso): to make
maturo: mature

...e l'università italiana
in possesso di diploma: to hold/possess a diploma
possesso: possession

di loro scelta: of their choice
a numero chiuso: limited number
superamento: overcoming, to succeed at something, passing (an exam)
accesso: access
studio: study
universitario: university, about universities
sovraffollato: overcrowded
percentuale: percentage
cosiddetto: so-called, supposed
(studenti) fuori corso: students that don't graduate on time, super senior
tesi di laurea, *la*: graduation thesis
tesi, *la*: thesis
d'altra parte: on the other hand
nonostante: in spite of, despite, although, even though
staccato (*inf.* staccare): detached
mondo del lavoro: world of work
occupazione: employment, job
variare: to vary
a seconda della facoltà: depending on the college/faculty
tuttavia: nevertheless, still
laurea breve: a three-year degree
specifico: specific
area: area
corso di specializzazione: specialization course
dottorato di ricerca: PhD, doctorate
ricerca: research
statale: state, government
accademico: academic
politecnico: polytecnic
ateneo: university
inferiore: inferior
carente: bad, poor
tradursi (*p.p.* tradotto): to result in, to lead to
perdita di tempo: waste of time
vantaggio: advantage
svantaggio: disadvantage
avere sede: to be located at
sede, *la*: headquarters, office
maestoso: majestic

Autovalutazione
riportare: to give back
che classe fai?: what grade are you in?

Grammar Appendix
allegro: happy
raccontare: to tell
il perché: the reason why

Communicative situations Appendix
A
intensivo: intensive
alloggio: housing, accommodation
escursione: excursion
B
super-intensivo: super-intensive
supplementare: additional
indicativo: indicative
a persona: per person
stanza singola: single room
stanza doppia: double room
uso cucina: kitchen use
nei dintorni di Firenze: in the outskirts of Florence
dintorni: outskirts, area

WORKBOOK
1
batteria: battery
scarico: empty, unloaded, dead (battery, phone)
4
giocattolo: toy
5
succo di frutta: fruit juice
dietetico: diet, dietary
6
rubare: to rob, to steal
foglio: sheet, leaf
7
onomastico: (saint's) name-day
fatto: fact
8
lavanderia: laundry
nel pomeriggio: in the afternoon
atteggiamento: attitude
9
medicina: medicine, medical
farmacista: chemist, pharmacist
10
convalidare: to validate, to confirm
11
collezionare: to collect
accaduto: event
macchina fotografica: camera
fotografico: photographic
13
permettersi (*p.p.* permesso): to affort
essere contrari a...: to be against something
arrestare: to arrest, to stop
si tratta certamente di un errore: ...there is certainly an error
assumere (*p.p.* assunto): to hire
in un gran supermercato: in a big supermarket
14
hai appreso la notizia: you have heard the news
16
mestiere, *il*: trade, job
17
importare: to import
distare: to be far from, to distance
18
a buon mercato: a good deal, cheap
fabbrica: factory
19
condurre (*p.p.* condotto): to lead (a life)
milionario: millionaire
residenziale: residential
smetterla (di) (*p.p.* smesso): stop (doing something)
20
derivare: to derive
formulare: to formulate
ciascuno: each one
21
autista: driver
22
sociologo: sociologist
abbandono: neglect, abandon
scolastico: scolastic
dispersione: dispersion, dispersal
adolescente: adolescent

alla base di...: at the base of...
mancanza: lack, shortage
educativo: educational
annoiare: to bore
media, *i* (*sg.* il medium): media
rendimento: yield
disagio: discomfort, inconvenience, uneasiness

Test finale
A
desinenza: ending
collana: necklace
crociera: cruise
magnifico: magnificent
meraviglioso: marvellous
B
finanza: finance
vivace: lively
un sacco di...: a bunch of...
C
cortese: courteous
convincente: convincing
diplomarsi: to graduate
specializzarsi: to specialize
D
spaventoso: scary
vi mangiano: (they) eat there

UNITÀ 2 *Soldi e lavoro*
STUDENT'S BOOK
Per cominciare 1
sportello bancomat: ATM, cash point
sportello: counter
bancomat: cash card
assegno: cheque
Per cominciare 2
risparmiare: to save
Per cominciare 3
conto corrente, *il*: account
fare la fila: to queue, to wait in line
A1
almeno (*avv.*): at least
sicuro: safe, secure
bancario: bank
pensato apposta: created specifically
apposta (*avv.*): on purpose
tipo?: such as? like?
prima di tutto: first of all
evitare: to avoid
operazione: (bank) transaction
per telefono: by phone
via Internet: via the internet
spiritoso: funny
al contrario: on the other hand, on the contrary
maniera: manner, way
conto in rosso: account in the red, overdawn account
A3
impiegata di banca: bank clerk
tasso d'interesse: interest rate
tasso: rate
interesse, *l'* (*m.*): interest
secondo: second
prelevare: withdraw
automatico: automatic
appunto (*avv.*): exactly
funziona anche come carta di credito: it also

works as a credit card
acquisto: purchase

A6
trattoria: (family-owned) restaurant, taverne

A7
serio: serious

A8
è sempre preceduto da...: it is always preceded by...

accompagnato da...: accompanied by...

A9
in base a...: based on...
avere fiducia (in): to trust someone
caotico: chaotic

B1
in disordine: messy, disorganized
disordine, il: mess
per curiosità: out of curiosity
curiosità: curiosity
mutuo: loan
altrimenti (*avv.*): otherwise
sono al verde: I'm broke
il fatto è che...: the fact is that...

B2
rivolgere una domanda: to ask a question
rivolgere (*p.p.* rivolto): to ask, to contact, to address

B3
lasciarsi (con): to leave someone, to break up

C
Egregio...: Dear Sir

C2
spettabile: dear
cortese: courteous, polite
in risposta all'annuncio: in response to the advertisement
apparire (*p.p.* apparso): to appear
desiderare: to desire, to want
sottoporre (a) (*p.p.* sottoposto): to submit
candidatura: candidacy, application
allegare: to attach
maturare: to ripen, to mature, to acrue
didattica: educational
adolescente: adolescent
esigenza: demand, requirement
prestigioso: prestigious
in attesa di...: to wait for..., to await
resto a Sua disposizione: I remain at your disposal
eventuale: possible
colloquio: interview
distinti saluti: best regards, yours faithfully
distinto: distinct
redazione: editing
attualmente (*avv.*): currently
fare riferimento: to refer to
riferimento: reference
personalmente (*avv.*): personally

C3
essa: she, it

C4
tocca a voi: it's your turn
azienda: company, firm
lettera di presentazione: presentation letter, covering letter
campo: field

operare: to operate, to work in
posto: job, location
editoria: publishing
arredamento: furniture, furnishing
ricoprire (*p.p.* ricoperto): to cover
responsabile vendite: sales manager
formula: formula
apertura: opening
chiusura: closing
ditta: company
porgere (*p.p.* porto): to give, to offer, to hand
cordiale: cordial
cordialmente (*avv.*): cordially
stima: estimation
fede, *la*: faith

C5
proverbio: proverb

C6
da sé: by yourself, by oneself
pigliare: to grab, to catch
sano: healthy
Chi tardi arriva male alloggia: First come, first served
alloggiare: to lodge
tesoro: treasure

D
In bocca al lupo!: Good luck!, Break a leg!

D1
candidato: candidate
concorso: competition
deluso: disappointed

D2
ciascuno: each one
ricerca: research
nel senso che...: in the sense that...
fare la domanda: to apply for something
mesi e mesi: months and months
il che: which
incoraggiante: encouraging
concorso pubblico: public contest
in che senso...?: in what way...?
Crepi!: Die! (in reply to "In bocca al lupo!")
crepare: to die, to crack

D3
coloro: those, the ones

E1
colloquio di lavoro: work interview
frequente: frequent

E3
nascita: birth
stato civile: marital status
stato: status, state
civile: civil, civilized, civilian
celibe: single, celibate
istruzione: education
titoli di studio: degree, educational qualification
voto: vote, marks, grade
votazione: voting, marks
informatico: regarding computers
sistema operativo: operating system
lavorativo: work related

E5
abbigliamento: clothing
ricercare: to research
addetto alle vendite: salesperson

addetto: worker
pacchetti informatici: computer packets
preferibilmente (*avv.*): preferably
affidabilità: reliability
precisione: precision
costituire: to constitute
periodo di prova: trial period
assunzione: employment, recruitment
a tempo indeterminato: permanent (contracts), indefinitely
indeterminato: indefinite
via fax: by fax
assicurazioni: insurance
neolaureato: recent graduate
inserire: to insert, to enter, to input
responsabile commerciale: business director/manager
requisito: requirement
età inferiore ai 29 anni: less than 29 years old
programmi informatici: computer programmes
preferenziale: preferential
studio legale: law firm
legale: legal, law
corsi specialistici: specialization courses
specialistico: specialty
finanziario: financial
tramite: through, by means of
aziendale: regarding a company
sezione: section
opportunità: opportunity
compagnia: company

F
in diretta: live
diretta: direct

F2
imbarazzante: embarassing
scambiato per l'ospite: he was confused for a guest
scambiare: to exchange, to confuse
cardinale, *il*: the cardinal
Papa, *il*: the Pope
accorgersi (di) (*p.p.* accorto): to realize
originario: native
epocale: epochal
è finito: he ended up
telecamera: video camera
mondiale: worldwide, world
proporsi come tecnico: to apply for as a technician
proporsi (*p.p.* proposto): to propose oneself, to present oneself
tecnico: technical, technician
all'improvviso: suddenly
stavo per allontanarmi: I was about to go away
seguire: to follow
di fretta: in a rush/hurry
per stargli dietro: to stay up to pace
correndo correndo: running, running
camerino: dressing room
truccatore: make-up artist
al trucco: make-up room
trucco: make-up
dritto nello studio: straight to the studio
conduttrice: female presenter/conductor
incertezza: uncertainty
stare calmo: to stay calm

calmo: calm
licenziare: to fire
assumere (*p.p.* assunto): to hire
azzeccare: to guess something right
lì per lì: on the spur of the moment
nel frattempo: in the meantime
comparire (*p.p.* comparso): to appear, to stand out
schermo: monitor
volto: face
sconosciuto: unknown
coerente: coherent
intervistatrice: female interviewer
l'equivoco si è sciolto: the misunderstanding has been resolved
sciogliersi (*p.p.* sciolto): to melt, to untie
accogliere (*p.p.* accolto): gather, welcome
recarsi: to go
disoccupato: unemployed
licenziamento: dismissal, lay-off
in modo generico: in a generic way
venire fuori: to come/go out
incoerente: incoherent

F4
fare quattro passi: to go for a walk
F5
storiella: little story
G1
definizione: definition
tratte da un dizionario: based on / taken from a dictionary
commercialista: accountant
elettricista: electrician
cuoco: cook
operaio: factory worker
riparare: to repair, to mend, to fix
installare: to install
impianto: system, plant
elettrico: electric
mestiere, *il*: the trade, job
scuola d'infanzia: kindergarten
infanzia: infancy
professionista: professional
amministrativo: administrative
serve a tavola: he/she is a waiter/waitress in a restaurant
servire: to serve
provvedere (a): to supply, to provide
pulizie: cleaning
lavoratore: worker
dipendente: employee
manuale: manual
faticoso: tiresome, tiring
l'arte del cucinare: the art of cuisine/cooking
sbrigare: to dispatch, to get through
corrispondenza: correspondence
G3
fissare: to set, to fix, to make
chiarimento: clarification
G4
condizione: condition
ambiente, *l'* (*m.*): environment
in alternativa: alternatively, conversely
Conosciamo l'Italia
L'economia italiana
miracolo: miracle

economia basata sull'agricoltura: economy based on agriculture
agricoltura: agriculture
materie prime: raw material
piano: plan, project
finanziamento: financing
sostegno: support
ripresa economica: economic recovery
mettere in ginocchio: to ruin
realizzare: to realize
opere pubbliche: public works
autostrada: motorway, highway
consumo: consumption
rinnovare: to renovate, to renew
manodopera: labor, work
essere in grado (di): can, to be capable of, to be able to
esportare: to export
frigorifero: refrigerator
lavatrice, *la*: washing machine
tessile: textile
settore: sector
metalmeccanico: engineering
petrolchimico: petrochemical
senza precedenti: without precident, unprecedented
"boom" economico: economic boom
accentuare: to accentuate
squilibrio: imbalance
decina: about 10
migliaia, *le* (*sg.* il migliaio): thousands
emigrare: to emigrate
industriale: industrial
cassa: fund
Mezzogiorno: the South of Italy
istituire: to institute
favorire: to favour, to promote
creatività: creativity
affermarsi: to make oneself known, to have success
macchinario: machinery
motocicletta: motorcycle
elettrodomestico: home appliance
pneumatico: tyre
salumi, *i* (*sg.* il salume): cold cuts
capi di abbigliamento: clothes
calzature: shoes
accessorio: accessory
di alta qualità: high quality
servizi: services
occupare: to occupy, to employ
popolazione: population
tra l'altro: amongst other things
telecomunicazioni: telecommunications
elemento: element
quest'ultima: the latter
di proprietà: owned by, that belongs to
Belpaese, *il*: Italy, the so-called "beautiful country"
ammirare: to admire
tesori d'arte: art treasures
bellezze naturali: natural treasures
fiera: trade fair/exhibit
colosso: colossus
appartenere: to belong
trasformazione: transformation

segnale, *il*: sign
verificarsi: to come true, to take place
risorse naturali: natural resources
risorsa: resource
a livello europeo: at the European level
costoso: expensive
marchio: brand
portale, *il*: portal
promuovere (*p.p.* promosso): to promote
lasciare il segno: to leave a mark/sign
segno: sign, mark
forte presenza: strong presence
segreto: secret

Autovalutazione
vedere tutto nero: to see everything black, to be pessimistic
decennio: decade
versare: to pour, to deposit
mettere soldi da parte: to put money aside, to save money
mole, *la*: massive structure

Grammar Appendix
legato (*inf.* legare): connected, linked
ammettere (*p.p.* ammesso): to admit, to allow
oltre il termine previsto: beyond the term allowed
oltre: beyond
termine, *il*: term, deadline
elenco: list
valere (*p.p.* valso): to be worth, to count
affrettarsi (a): to hurry up, to be in a hurry
compiere: to commit, to complete
avvertire: to warn, to inform, to feel

Communicative situations Appendix
A
master, *il*: master
tecnologia: technology
ottimo: very good
tirocinio: training period
membro: member
staff, *lo*: staff
studi di registrazioni: recording studios
registrazione: recording
audio-visivo: audio-visual
traccia: trace, track
trattamento economico: economic treatment
B
essere disposto (a): to be willing to...

WORKBOOK
1
operare: to operate
sopportare: to bear, to tolerate
storico: historic, historical
parlare male: to speak badly
2
cittadino: citizen
3
sa il fatto suo: he/she knows his/her stuff/work
non prende mai le cose sul serio: he/she never takes things seriously
4
fidarsi (di): to trust
5
contare (su): to count on

6
sporco: dirty

7
parrucchiera: hairdresser

8
scadere: to expire
maggiormente (*avv.*): mostly
aprirsi (*p.p.* aperto): to open

9
gioventù, *la*: youth
pesciolino: little fish
ereditare: to inherit

10
affidare (a): to entrust

11
dipendente: employee, worker
idratante: moisturizing
effetto: effect
miracoloso: miraculous
vantaggioso: advantageous

12
beato: lucky, blessed

13
alla rinfusa: randomly
colui: he who
colei: she who
non guasta: it doesn't hurt, it wouldn't be bad
guastare: to spoil, to ruin, to break
borsa di studio: scholarship

14
scoppiare una guerra: a war breaks out
orribile: horrible
in tempo: in time

17
corrispondente: corresponding
noioso: boring

18
pallacanestro, *la*: basketball

19
in riferimento a...: with reference to...
a pieni voti: straight as
conseguire: to achieve
management, *il*: management
precedentemente (*avv.*): previously
perfezionare: to perfect
competenza: competence
scrittura: writing
grafica: graphics
impiego: employment
estero: abroad
elettronica: electronic
tuttora (*avv.*): still
prospettive: prospects
ambizione: ambition
responsabilità: responsability
all'interno di...: inside
struttura: structure
professionalità: professionalism
riscontro: reply
gentilezza: kindness
teorico: theoretical

20
vicedirettore: vice director
includere (*p.p.* incluso): to include
borsa: bag, purse
prepagare: to prepay

Test finale
A
mammone, *il*: mamma's boy
precario: precarious, insecure
stage, *lo*: stage, internship, apprenticeship
dedicarsi: to dedicate oneself
a tempo pieno: full-time
con il risultato che...: with the result that...
per necessità: by need

B
ignorante: ignorant

C
automobilistico: regarding automobiles
destino: destiny, fate

D
fortemente (*avv.*): strongly
potere, *il*: power
ruota: wheel
motore: motor
notevole: notable
extraurbano: extra-urban, out of town
a pagamento: with a fee
vietare: to prohibit
pedone: pedestrian
distribuzione: distribution
interpretazione: interpretation

UNITÀ 3 *In viaggio per l'Italia*
STUDENT'S BOOK
in viaggio per l'Italia: on a trip around Italy

Per cominciare 1
località: location
viaggio di nozze: honeymoon
culturale: cultural

Per cominciare 4
stipendio: salary
altissimo: super high
spostamento: moving, shift, shifting

In questa unità
farcela: to be able to do something, to succeed
andarsene: to leave

A1
numerare: to number
vivace: lively
fare a meno (di): to make due without
già: already
meno (*avv.*): less
non ti resta che Firenze: Florence is your only option
impersonale: impersonal
dai: come on!
città d'arte: city of art
se la pensi così...: if this is how you see it...
rinunciare (a): to give up
casa, dolce casa: home sweet home
quanto: as ... as
spostarsi: to move
vaporetto: ferry boat
il massimo: the top
ospitale: hospitable
frenetico: frenetic, frantic
per di più: besides
fa un freddo cane: it's freezing
catena: chain

A2
intendere (*p.p.* inteso): to mean, to intend

sopportabile: bearable, endurable
sopportare: to support
punto di vista: point of view
alternativa: alternative

A3
indeciso: undecided
vivo: vivid, full of life
prendere in considerazione: to take into consideration
considerazione: consideration
rischiare (di): to risk

A4
coniugare: to conjugate

A6
confronto: comparison
comparativo di maggioranza: majority comparative
maggioranza: majority
minoranza: minority
uguaglianza: equality

A7
magro: thin, skinny
comodo: comfortable

A8
osservazione: observation
abitante: inhabitant
esattezza: exactness, precision
superficie, *la* (*pl.* le superfici): surface

B1
mentalità: mentality

B2
metà: half
viceversa (*avv.*): vice versa
sindaco: mayor
sono pazzo di Agrigento: I'm crazy about Agrigento
pazzo: crazy
costiera: costal, coastline
adorare: to adore
meridionale: southern, southerner
settentrionale: northern, northerner
di origini calabresi: of Calabrian origin
calabrese: Calabrian
piemontese: Piedmontese
sangue, *il*: blood
siciliano: Sicilian
ho parenti sparsi lungo tutta la penisola: I have relatives all over the peninsula
spargere (*p.p.* sparso): to scatter, to spread
lungo: along
scrittrice: female writer
è una parte di me: it is part of me
spirito: spirit
emozione: emotion
affascinare: to fascinate
fermo: stopped, still
guidare: to drive
semaforo: traffic-lights
privacy, *la*: privacy
garantire: to guarantee
chiunque: anyone
a ogni ora: at any hour/time
insomma (*avv.*): in short, in conclusion
terribilmente (*avv.*): terribly
veneziano: Venetian
si lascia guidare: she lets herself be led, she lets

others lead her
godere (di): to enjoy

B4

furbo: sly, cunning
recitare: to act
verdura: vegetables

B5

chef: chef, cook
attraente: attractive

B6

riquadro: square, panel
sardo: Sardinian
palermitano: inhabitant of Palermo
milanese: Milanese
lombardo: Lombard
emiliano: inhabitant of Emilia-Romagna
molisano: inhabitant of Molise

C1

criterio: criterion, sense

C2

immerso nel verde: surrounded by green/nature
immergere (*p.p.* immerso): to immerse
immenso: immense
campeggio: campsite
parcheggio: car park, parking lot

C3

menzionare: to mention
TV satellitare: satellite TV
mini bar, *il*: mini-bar
frigobar, *il*: mini-bar
aria condizionata: air conditioning

C4

matrimoniale: matrimonial, double bed
con vista sul parco: with a park view
chiede indicazioni su come arrivare: he/she ask for directions about how to arrive

C5

quanto possibile: as much as possible

C6

raggiungere (*p.p.* raggiunto): to reach, to achieve
esclusivo: exclusive
auditorium, *l'* (*m.*): auditorium
attrattiva: charm, attraction
situare: to place
residenziale: residential
atmosfera: atmosphere
rilassante: relaxing
spuntino: snack
sala riunioni: meeting room
riunione: meeting
capienza: capacity
Grande Raccordo Anulare: ring road motorway which surrounds Rome
raccordo: ring road
anulare: circular
proseguire: to go ahead, to go straight on
ristrutturare: to restructure
rapido: fast, rapid
collegamento: connection
punti di interesse: points of interest
prima colazione a buffet: buffet breakfast
prima colazione: breakfast
torte fatte in casa: homemade cakes
gratuitamente (*avv.*): freely
su richiesta: on request

garage, *il*: garage
Rete, *la*: web, net
doccia: shower
idromassaggio: whirlpool bath, jacuzzi
con sauna convenzionata: with discounted sauna
convenzionare: to make an agreement

C7

pernottare: to stay overnight

D1

prezioso: precious
superlativo relativo: relative superlative

D3

fumetto: illustration, comic strip

D4

superlativo assoluto: absolute superlative

D5

signoria: lordship
grandezza: size, largeness, greatness
monumentale: monumental
Nettuno: Neptune
capolavoro: masterpiece
raccolta: collection, harvesting
straordinario: extraordinary
cittadino: citizen
incantare: to enchant
fiorentino: Florentine
salvare: to save
medievale: medieval
stradina: small road/street
bottega: shop, workshop
artigiano: craftsman
aperte sulla via: open onto the street
malinconia: melancholy
ovunque (*avv.*): everywhere
scoprire (*p.p.* scoperto): to discover
tetto: roof
antenna: antenna, aerial

D6

paragrafo: paragraph

D7

cattivo: bad
peggiore: worse
guadagno: earnings, profit
più alti del previsto: higher than expected
aspettativa: expectation

D8

misura: measurement
polizia stradale: traffic police
responsabilità: responsability

E2

soggiorno: stay
pernottamento: overnight stay
ricevimento: reception, welcoming, receiving
volo: flight
bagaglio: baggage, luggage
guida: guide
meta: destination

E5

invitante: inviting
brochure, *la*: brochure
deludente: disappointing
esporre (*p.p.* esposto): to expose, to show
affrontare: to face, to confront
ospitalità: hospitality
professionalità: professionalism
personale, *il*: personnel

Conosciamo l'Italia
Roma

eterno: eternal
impero: empire
antichità: antiquity, antique
estendersi (*p.p.* esteso): to extend, to stretch, to spread
riva: shore
fiume, *il*: river
Tevere, *il*: Tiber
contare: to have, to count
splendido: splendid
metropoli, *la*: metropolis
ore di punta: rush hour
ordinario: ordinary
innumerevole: innumerable
meritare: to deserve, merit
foro: forum, hole, court
religioso: religious
politico: political
vi si trovano: there are
rovine: ruins
templi, *i* (*sg.* il tempio): temples
palazzo: palace
epoca: epoch
anfiteatro: amphitheatre
isola pedonale: pedestrian zone
pedonale: pedestrian
punti di ritrovo: meeting points
piacevole: pleasant
animare: to animate
frequentatissimo: very well attended, very popular
deve il suo nome a...: he/she/it owes his/her/its name to...
ambasciata: embassy
enorme: enormous
scalinata: staircase
scalinata di Trinità dei Monti: Spanish steps
trinità: trinity
monte, *il*: the mountain
grandioso: magnificent, majestic
gettare: to throw
moneta: coin, change
fare ritorno: to make a comeback
basilica: basilica
circondare: to surround
portico: portico, arcade, porch
pietà: pity, mercy
cappella: chapel
indipendente: independent
catacomba: catacomb
terme: thermae, thermal bath, spa

Milano e Bologna

fertile: fertile
Borsa Valori: Stock exchange
efficiente: efficient
inevitabile: inevitable
trasferirsi: to transfer, to move
urbano: urban
rappresentativo: representative
senz'altro: certainly, without a doubt
gotico: gothic
cattedrale, *la*: cathedral
celebre: famous
lirico: regarding opera

un tempo: one time, once
residenza: residence
duchi, *i* (*sg.* il duca): dukes
dal vivo: live
Cenacolo: the Last Supper
convento: convent
naviglio: canal, zone of Milan
gastronomico: gastronomic
rinomato: famous, well known
varietà: variety
torre, *la*: tower
pendente: leaning
andare a spasso: to go for a walk

Venezia e Napoli

canale, *il*: canal
suggestivo: evocative, striking
sospiro: sigh
condannato: condemned
sospirare: to sigh, to long for something
sott'acqua: under water
affondare: to sink
lentamente (*avv.*): slowly
centimetro: centimetre
meraviglioso: marvellous, beautiful
sorgere (*p.p.* sorto): to soar, to rise
veneto: from Veneto, an inhabitant of Veneto
bizantino: Byzantine
intervento: operation
traccia: trace, track
romanico: Romanic
rinascimentale: of the Renaissance
ducale: ducal
gloria: glory
doge, *il*: doge
Repubblica marinara: seafaring republic
morire (*p.p.* morto): to die
golfo: gulf
ai piedi: at the foot of
vulcano: volcano
regno: kingdom
glorioso: glorious
testimonianza: testimony
affascinante: fascinating
aperto: open
dialetto: dialect
musicale: musical
grave: serious
disoccupazione: unemployment
criminalità: crime, criminality

Autovalutazione

a due letti: with two beds
la maggior parte: the majority
a quattro stelle: four star

Grammar Appendix

di già: already
in gamba: to be smart, to be on the ball
pessimo: appalling, bad, terrible
minimo: minimum

Communicative situations Appendix

A
mezza pensione: half board

B
sistemazione: accommodation
tappa: stage, lap
accoglienza: welcoming, reception

imperiale: imperial
aperitivo: apertif, appetizer
visita guidata: guided tour/visit
bilingue: bilingual
imbarco: boarding
inclusi nel prezzo: included in the price
includere (*p.p.* incluso): to include
pullman, *il*: coach, bus
a scelta: choice
al di fuori di...: apart from...
bevanda: beverage
in caso di...: in case of...
impossibilità: impossibility
alcuno: any, no, none
importo: amount

WORKBOOK

2
educato: polite

3
servizi: bathroom and kitchen
raramente (*avv.*): rarely

4
dedurre (*p.p.* dedotto): deduce

5
nutriente: nourishing
miele, *il*: honey
argento: silver
campo di calcio: football/soccer field
campo da tennis: tennis court

6
stupidaggine, *la*: stupidity
riservato: reserved
decisamente (*avv.*): definitely
per ricordo: as a souvenir
presuntuoso: presumptuous
maleducato: rude

8
benestante: well-off, wealthy

10
Tunisia: Tunisia

11
violento: violent
stancante: tiring, tiresome

12
diamante, *il*: diamond
pietra: stone

13
inquinamento: pollution

14
mettere piede: to step on something

15
in commercio: in commerce, on the market

16
altezza: height
piramide, *la*: pyramid
Partenone, *il*: the Parthenon
lunghezza: length
topo: mouse

17
in classifica: in classification, ranking
stagionale: seasonal

18
palazzina: small building

19
labbra, *le* (*sg.* il labbro): lips

sdraiarsi: to lay down
rapire: to abduct, to kidnap
infinito: infinitive
dipingere (*p.p.* dipinto): to paint

20
questionario: questionnaire

21
albergatore: hotel-keeper
praticamente (*avv.*): in reality, practically
collaboratore: collaborator
punto di forza: strength
gustare: to taste

Test finale
B
a partire da...: starting in/on, as of...
assaggio: tasting, sample, taste
degustazione: tasting
normanna: norman (architecture)
eremiti, *gli* (*sg.* l'eremita): hermits
barocco: baroque
programmare: to programme, to plan

C
m2 (metro quadro/quadrato): sq. mtr, square metre

1° test di ricapitolazione (unità 1, 2 e 3)
C
vergognarsi: to be ashamed
divorziare: to divorce

UNITÀ 4 *Un po' di storia*
STUDENT'S BOOK
Per cominciare 1
Rinascimento: Renaissance
Medioevo: Medieval

Per cominciare 2
conquistare: to conquer
invadere (*p.p.* invaso): to invade
favola: fable, fairy tale
parlamento: parliament
monarchia: monarchy

Per cominciare 4
fondazione: foundation
rapido: fast, rapid
uccidere (*p.p.* ucciso): to kill
Remo: the twin brother of Romolus, the founders of Rome
dittatore: dictator
villaggio: village
generale, *il*: general
odiare: to hate
Augusto: Augusto, a Roman emperor
Caligola: a Roman emperor
Nerone: Nero, a Roman emperor
Marco Aurelio: Marcus Aurelius, a Roman emperor

A1
con il tempo: with time
Romani: Romans
sconfiggere (*p.p.* sconfitto): to beat, to defeat
potenza: power
militare: military
Impero Romano: Roman Empire
re, *i* (*sg.* il re): king
divenire (*p.p.* divenuto): to become
Asia: Asia

Africa: Africa
senatore: senator
nominare: to elect, to nominate
accusare: to accuse
cristiani: christians
incendio: fire
bruciare: to burn
saggio: wise

A3
confondere (*p.p.* confuso): to confuse
tradire: to betray
invidia: envy
incendiare: to burn
dare retta (a): to listen to
nemico: enemy

A6
ben cinque secoli: five centuries
genovese: Genovese
Cristoforo Colombo: Christopher Columbus

B1
indiscreto: indiscrete

B3
scacchi: chess
Gallo: Gaul (ancient French people)
a tutti i costi: at all costs
pozione: potion
magico: magic
invincibile: invincible
combattere: to combat
barbari: barbarians
Mongolia: Mongolia
generoso: generous
ci conto: I count on something

B4
assassinare: to assassinate
procurare: to procure
dare in pasto: to throw to
leone, *il*: lion
affidare (a): to entrust
missione: mission
pericoloso: dangerous
amici del cuore: best friend
darsi appuntamento: to make an appointment

C
c'era una volta: once upon a time

C1
Cappuccetto Rosso: Little Red Riding Hood
buccia: peel, shell
focaccia: flat bread
bosco: forest
giraffa: giraffe
confusione: confusion
quanto fa sei per otto?: how much is six times eight?
neanche per sogno: no way
scalino: a step, small step
soldo: penny, coin
per terra: on the ground/floor
lascia stare: forget about, don't bother about
gomma da masticare: chewing gum
masticare: to chew

C4
togliere (*p.p.* tolto): to take off

D1
concordia: concord
numeri romani: Roman numerals

D2
linea del tempo: timeline
Costantino: Constantine, Roman/Byzantine emperor
trasferire: to transfer, to move
Costantinopoli: Constantinople
Visigoti: Visigoths
barbaro: barbarian
Vandali: Vandals
distruggere (*p.p.* distrutto): to destroy
Longobardi: Longobards/Lombards
germanico: Germanic
occupare: to occupy, to employ
gran parte, *la*: a large amount
Carlomagno: Charlemagne
Franchi: Franks
incoronare: to crown
Sacro Romano Impero: Holy Roman Empire
sacro: sacred, holy
Normanni: Normans, from Normandy
cacciare: to drive away
signore: master, lord
Carlo d'Angiò: Charles d'Anjou
città-stato, *la*: city-state

D3
Medici: Medici
salire al potere: to rise to power
potere, *il*: power
fiorire: to blossom, to bloom

D4
comunale: communal
vitale: vital
invasione: invasion
barbarico: barbaric
cessare: to stop, to cease
svilupparsi: to develop
console, *il*: consul
eleggere (*p.p.* eletto): to elect
nobile: nobile
borghese: bourgeois
mercante: merchant
contadino: farmer
diritto di voto: right to vote
diritto: right
voto: vote
ristringere (*p.p.* ristretto): to shrink
potente: powerful
entrare in conflitto: to come into conflict
conflitto: conflict
Principato: Principality
in mano: in hand, under control
ascesa: ascent
capo: head, boss
trasmettersi (*p.p.* trasmesso): to be transmitted
di padre in figlio: from father to son
rappresentante: representative
espandere (*p.p.* espanso): to expand
dominio: dominion
sanguinoso: bloody
amante: lover
corte, *la*: court
abbellire: to embellish
banchiere, *il*: banker
detto *il Magnifico*: a.k.a. the Magnificent
vera e propria: real and true, downright
lotta: struggle

creazione: creation
vanno di pari passo: they go hand in hand

D5
sinceramente (*avv.*): sincerely
ovvio: obvious
negare: to deny
decisamente (*avv.*): definitely, decidedly
fortemente (*avv.*): strongly
difendere (*p.p.* difeso): to defend
apparente: apparent
apparentemente (*avv.*): apparently
agire: to act
velocemente (*avv.*): quickly
difficilmente (*avv.*): with difficulty
curioso: curious

E2
banchetto: banquet

Conosciamo l'Italia
Brevissima storia d'Italia
Dalle Signorie al dominio straniero
in lotta: in struggle, at war
intenso: intense
attività: activity
divisione: division
provocare: to provoke
contendersi (*p.p.* conteso): to condend
distruzione: destruction
indipendenza: independence
ducato: dukedom
Stato della Chiesa: State of the Church
Verso l'indipendenza
verso: toward
a poco a poco: little by little
fallire: to fail
diplomatico: diplomatic
conte, *il*: count
primo ministro: prime minister
coraggio: courage
liberare: to free, to liberate
proclamare: to proclaim
esercito: army
Dall'Unità al fascismo
fascismo: fascism
all'indomani: the following day, the day after
povertà: poverty
vincitore: winner
morto: dead
tormentare: to torment
socio-economico: socio-economic
ventennio: twenty years
fascista: fascist
regime, *il*: regime
autoritario: authoritarian
antidemocratico: antidemocratic
violenza: violence
duce, *il*: the Duce (Mussolini), the commander
propaganda: propaganda
consenso: concensus
diffondere (*p.p.* diffuso): to spread
superiorità: superiority
scopo: aim, goal
disastroso: disastrous
alleanza: alliance
entrata in guerra: entry into war
ufficialmente (*avv.*): officially
fucilare: to shoot, to execute

alleati: allies
partigiano: partisan
Resistenza: Resistence
prendere le armi: to take arms
armi, *le* (*sg.* l'arma): arms, weapons
nazista: nazi
dovunque (*avv.*): anywhere
perfino (*avv.*): even
a tavola: to table
tavola: table
slogan, *lo*: slogan
tacere: to be quiet
abolire: to abolish
stretta di mano: handshake
vittima, *la*: victim

Il dopoguerra, il "boom" economico, gli "anni di piombo"
dopoguerra, *il*: postwar period
"anni di piombo": years when Italian terrorism was at its height
piombo: lead
ricostruire: to rebuild
referendum, *il*: referendum
elezioni: elections
realmente (*avv.*): really
democratico: democratic
tristemente (*avv.*): sadly
rapimento: abduction, kidnapping
uccisione: murder
strage, *la*: massacre

Tra il XX e il XXI secolo
parola d'ordine: password
Tangentopoli: widespread corruption in Italy in the 90s
portare alla luce: to bring to light
vasto: vast
corruzione: corruption
centinaia, *le* (*sg.* il centinaio): hundreds
immigrato: immigrant
proveniente: originating (from)
multietnico: multi-ethnic
moneta unica: common currency
valuta: currency
dare inizio: to start
Albania: Albania
operazione: operation

Autovalutazione
accusa: accusation, charge
mi sa che...: I think/believe/reckon
era: age
italiano standard: standard Italian

WORKBOOK
1
alba: dawn
matto: crazy
2
temere: to fear, to be afraid
per il peggio: for the worse
4
socio: partner
a lungo: a long time
telegrafo: telegraph
senza fili: wireless
filo: wire

5
modo di fare: way of doing things
6
conseguenza: consequence
rimprovero: reproach
7
fare finta (di): to pretend, to fake
8
tenere: to give
11
luna di miele, *la*: honeymoon
Malta: Malta
insistenza: insistence
citofono: entry phone
negativamente (*avv.*): negatively
inesistente: non-existent
chiarezza: clarity
12
volontario: volunteer
rifiuti: rubbish, litter
fastidioso: annoying, bothersome
mal di gola, *il*: sore throat
gola: throat
premio Nobel: Nobel prize
premio: prize
discorso: speech
sfinito: tired, exhausted
13
accademia: academy
Svezia: Sweden
assegnare: to assign
attentato: act of violence
Brigate Rosse: Red Brigade
14
sequenza: sequence
burattino: puppet
falegname, *il*: carpenter
attrezzo: tool, equipment
stupirsi: to be astonished
fissare: to set, to fix, to arrange
non credere ai propri occhi: not to believe your eyes
tirare fuori: to take out
16
studio medico: medical office
computer portatile: portable computer
portatile: portable
licenziarsi: to quit
di sabato: on Saturday
17
dolcemente (*avv.*): softly, sweetly
attuale: current
casuale: random, chance
18
ricavare: to obtain, to earn
recente: recent
probabile: probable
19
piuttosto che: instead of
20
ammalarsi: to get ill
rimandare: to postpone, to put off
finché: until
sebbene: although
21
latino volgare: common Latin

volgare: common, vulgar
modificazione: modification
Test finale
A
gravità: seriousness
mettere in allarme: to sound the alarm, to put in alarm
allarme, *l'* (*m.*): alarm
stare a sentire: to listen
nostalgia: nostalgia, homesickness
soldato: soldier
sparare: to shoot
rifiutarsi: to refuse
B
mitico: mythical
scuderia: racing stable
costruzione: construction
vettura: vehicle
conferire: to confer
laurea *honoris causa*: honorary degree
meccanico: mechanic
pista: race track
C
Meridione, *il*: the South of Italy

UNITÀ 5 *Stare bene*
STUDENT'S BOOK
Per cominciare 2
salute, *la*: health
Per cominciare 3
sonno: sleep
A
stressato: stressed out
A1
faccia: face
rigirarsi: to turn over (in bed)
ritmo: rhythm
non più di tanto: not very much
fondamentale: fundamental
dubitare: to doubt
energia: energy
pigro: lazy
integratore: supplement
A3
senza contare che...: without counting that...
a meno che...: unless
meglio tardi che mai: better late than never
C
mantenersi giovani: to stay young
C1
alla rinfusa: random
fattore: factor
invecchiare: to age
fumo: smoking
alcolico: alcoholic
eccesso: excess
vita sedentaria: sedentary life
grassi: fats
equilibrato: balanced
C2
ricavare: to obtain, to earn
C4
leale: loyal
certezza: certainty
ricchi sfondati: filthy rich

C5
in fin dei conti: when all is said and done
stanco morto: dead tired
D
viva: hurrah!
D2
istruttore: instructor
D3
prevalentemente (*avv.*): prevalently, mostly
massaggio: massage
sport di squadra: team sport
D4
affinché: so that
D5
benché: although
sebbene: although
malgrado: despite
purché: so that
a condizione che...: on the condition that...
a patto che...: on the condition that...
tranne: except
D6
divorziare: to divorce
D7
concordanza: agreement
E1
stressare: to stress
sotto stress: under stress
E2
causare: to cause
elaborare: to elaborate
gravidanza: pregnancy
lite, *la*: quarrel
E4
graduatoria: ranking
E6
effettivamente (*avv.*): actually, really
sotterranei: underground
merito: deserve, merit
nobile: nobile
appassionato: passionate
tifoso: fan
flauto dolce: a kind of flute
flauto: flute
supporre (*p.p.* supposto): to suppose
attaccare discorso: to start speaking
attaccare: to start
discorso: speech, discussion, conversation
rallentare: to slow down
variazione: variation
barocco: baroque
rendere l'idea: to give the idea
metafisica: metaphysics
via dicendo: and so on
parlare al muro: to speak to the walls
concepire: to conceive, to understand
F1
ciclismo: cycling
pallavolo, *la*: volleyball
pallacanestro, *la*: basketball
F2
ingrassare: to gain weight
investire: to invest
Conosciamo l'Italia
Lo sport in Italia
sondaggio: survey, drilling

praticare: to practice
finlandese: Finnish
svedese: Swedish
danese: Danish
olandese: Dutch
portoghese: Portuguese
ne è la prova: it is the proof
Azzurri: the Blues (the national Italian team)
antagonismo: antagonism
sostegno: support
sponsor, *lo*: sponsor
altrettanti: as many
praticante: apprentice
dilettante: amateur
coprire (*p.p.* coperto): to cover
attirare: to attract
ciclista: cyclist
a caccia di...: on the hunt for...
per merito di...: thanks to...
pilota, *il*: pilot, driver
sostenitore: supporter
volante, *il*: steering wheel
cavallino: little horse, the symbol of Ferrari
rampante: rearing on its hind legs
atletica leggera: track and field sports
atletica: athletics
vittoria: victory
Olimpiadi, *le*: Olympics
calcetto: five-a-side
danza: dancing
pesca: fishing
alpinismo: mountaineering
pesi: weights
bocce: lawn bowling
pattinaggio: skating
equitazione: horseriding
sub: sub
vela: sail
tiro a segno: rifle-range
tiro con l'arco: archery
arco: arch
campo: field
misura: measurement
ginnastica artistica: gymnastics
ginnastica ritmica: rhythmic gymnastics
soddisfazione: satisfaction
l'atleta più titolato: the most awarded althlete
atleta: athlete
olimpionico: Olympic
disciplina: discipline, sport
Autovalutazione
individuale: individual
pallone, *il*: ball
immigrazione: immigration
Grammar Appendix
ignorare: to ignore
mi fa piacere: it makes me happy, I'm glad
impressione: impression
sono di cattivo umore: I'm in a bad mood
umore: mood
tifare: to root for, to be a fan of
qualunque: whichever
nocivo: harmful

WORKBOOK
2
influenza: the flu, influenza

3
agitato: nervous, agitated
inferno: hell
riscaldamento: heating
4
da un pezzo: for a while
sposa: bride
9
brillante: brilliant
aspettarsi: to expect
figura: impression, figure, shape
11
carta d'identità: identity card
identità: identity
commettere (*p.p.* commesso): to commit
leggerezza: lightness
imperdonabile: unforgivable
12
casco: helmet
13
anticipo: advance
16
robusto: robust
17
entro: within, in
18
nei vostri confronti: to/toward/regarding you
un'ora di anticipo: one hour early/in advance
anticipo: advance, early
autogrill, *l'* (*m.*): motorway cafe
19
ceramica: ceramics
fine: fine
20
preoccupazione: worry
pianeta, *il*: planet
21
pensione: pension, retirement
fama: fame, reputation
accomodarsi: to make yourself at home/comfortable
intimità: intimity
22
attrezzare: to equip, to supply
rilassarsi: to relax
Test finale
A
fianco: side
B
fare il pieno di benzina: to fill up (petrol, gasoline)
C
dimensione: size, dimension
2° test di ricapitolazione
(unità 4 e 5)
A
domestica: maid
attentamente (*avv.*): carefully, attentively
B
di tutto cuore: with heart
C
educatamente (*avv.*): politely, courteously
D
tramonto: sunset

● Episodio unità 1 - *Com'è andato l'esame?*

Per cominciare...

1 Guardate i primi 20 secondi dell'episodio: dove siamo? Cosa succede, secondo voi?

2 Cosa succederà ora? In coppia, provate a fare un'ipotesi su come continuerà l'episodio.

Guardiamo

1 Guardate l'episodio per intero e verificate le ipotesi fatte in precedenza.

2 Inoltre, fate attenzione ai voti che ascolterete! Annotate le parole che seguono e provate a capire cosa significano nel contesto dell'episodio.

bocciato   *mattone*   *appello*   *secchiona*   *media*

3 Secondo quanto potete capire dall'episodio visto, qual è il massimo voto che può ottenere ad un esame universitario uno studente in Italia?

Facciamo il punto

In coppia, completate con le parole mancanti.

a. Lorenzo! Allora,
....

Indovina:
....
Per l'ennesima volta.

b. No! Arriva quella secchiona di Valeria! Sicuramente lei avrà preso un
....

● Episodio unità 2 - *Lorenzo cerca lavoro*

Per cominciare...

1 Guardate i primi 35 secondi dell'episodio senza l'audio. Che cosa succede secondo voi? Potete descrivere il luogo e le persone? Possono esservi utili le parole date di seguito, che abbiamo visto anche a pagina 23 del Libro dello studente.

contanti   assegno   carta di credito   sportello bancomat   sportello

2 Guardate dal punto in cui vi siete fermati fino a 2'02" con l'audio. Cosa pensate succederà in seguito? Lorenzo troverà il lavoro che cerca? In coppia, formulate due ipotesi, una negativa e l'altra positiva.

Guardiamo

1 Ora guardate interamente l'episodio e verificate le ipotesi fatte in precedenza.

2 Mettete in ordine cronologico le immagini.

Facciamo il punto

1 Fate un breve riassunto dell'episodio, oralmente o per iscritto (max. 60 parole).

2 Cosa significano le espressioni in grigio? Scegliete l'opzione giusta tra quelle date.

Cerchiamo un altro sportello, tanto qui è pieno di banche.

Non ti arrendere subito! Chi la dura la vince!

Significa:

  a. se

  b. del resto

  c. però

Significa:

  a. Chi è bravo otterrà ciò che merita.

  b. Chi è duro vince ogni ostacolo.

  c. Chi insiste ottiene ciò che vuole.

Episodio unità 3 - *Finalmente a Roma!*

Per cominciare...

Osservate alcune scene tratte dall'episodio e in coppia cercate di metterle in ordine. Potete prevedere cosa succede in questo episodio? In coppia, fate due ipotesi.

Guardiamo

1 Guardate l'episodio e verificate le vostre ipotesi.

2 Di seguito trovate alcuni servizi alberghieri riportati anche a pagina 45 del Libro dello studente. Di quali si parla durante l'episodio?

Piccoli animali ammessi	TV satellitare	Accesso internet
Parcheggio	Linea telefonica diretta	Mini bar
Piscina	Palestra	Aria condizionata

Facciamo il punto

Osservate le immagini e le battute di Lorenzo. In coppia cercate di ricordare le risposte di Gianna.

Comunque, godiamoci Roma! Allora, da dove cominciamo?

Guarda, ho qui con me una guida ....
....

1

Perché non prendiamo il metrò? È più facile, no?

Sì, ma con l'autobus
....
....

2

Episodio unità 4 - *In giro per Roma*

Per cominciare...

1 Quali monumenti di Roma conoscete? A coppie, fate una lista dei posti e dei monumenti famosi di Roma che conoscete direttamente o da quanto avete visto nel Libro dello studente.

2 Guardate senza audio fino a 0'40". Cosa succede, secondo voi? Cosa potete capire dall'atteggiamento e dai gesti dei due protagonisti? Descrivete la situazione e fate ipotesi sul proseguimento dell'episodio.

Guardiamo

1 Guardate l'intero episodio con l'audio e verificate le ipotesi fatte in precedenza.

2 Abbinate le informazioni date sotto alle foto corrispondenti.

a. Il leone di San Marco viene dalle mura di Padova.

b. Fu progettata da Michelangelo alla metà del Cinquecento.

c. La sua costruzione iniziò nel 72 sotto l'imperatore Vespasiano.

d. In epoca romana era uno stadio.

e. Fu un monumento romano, cioè la tomba di Adriano.

f. Si chiama così perché nel '700 c'era l'ambasciata spagnola.

Facciamo il punto

Fate un breve riassunto dell'episodio, orale o scritto (60-70 parole).

Episodio unità 5 - *Facciamo un po' di sport!*

Per cominciare...

1 Guardate i primi 45 secondi dell'episodio senza audio. Cosa succede? Descrivete l'ambiente e i protagonisti. Secondo voi, cosa succederà in seguito?

2 Ora coprite lo schermo con un grande foglio (o dei fogli A4 uniti fra loro) e ascoltate da 0'46" a 1'48": cosa succede, secondo voi? Confermate le vostre ipotesi precedenti?

Guardiamo

Guardate l'intero episodio con audio e video e verificate le ipotesi fatte finora.

Facciamo il punto

Osservate le immagini e le battute e rispondete alle domande.

> Comunque d'accordo che adesso faccio vita sedentaria...

Lorenzo usa l'espressione in grigio per dire:

a. ☐ è giusto che   b. ☐ è strano che

c. ☐ è vero che

> Io mica intendo fermarmi per te, eh?

Gianna usa la parola in grigio per dire:

a. ☐ assolutamente non   b. ☐ sicuramente

c. ☐ forse

> Fai come vuoi, io non credo di farcela.

Lorenzo usa il verbo in grigio per dire:

a. ☐ poter respirare   b. ☐ poter continuare

c. ☐ fare bene

Gioco unità 1 - 5

Progetto italiano 2

8 Hai un colloquio di lavoro: in 1 minuto al massimo devi convincere il direttore ad assumerti!

6 Sei il responsabile del personale: fai 5 domande a un candidato.

7 Il calcio con meno giocatori si chiama…

4 *Chi trova un amico…* Finisci tu il proverbio!

21 Nomina almeno due modi per mantenersi giovani e in buona salute.

22 Fai una frase iniziando con "*(non) credo che…*" e usando almeno due verbi al congiuntivo.

3 Per diventare dottore bisogna studiare…

20 Un abitànte di Bologna è un…

23 Vai a pagina 79 del Libro dello studente e racconta in breve la storia illustrata. Hai 1' di tempo! Se no, torni alla casella 21!

2 Un tuo compagno è arrivato al vostro appuntamento in ritardo e ti chiede scusa. Cosa rispondi?

19 *Lessi, risi* e *mossi* sono tre passati remoti. Ma qual è il loro infinito?

28 Parla della città dove vivi dal punto di vista ecologico. È inquinata? C'è molto verde? È pulita o sporca? Hai 30 secondi di tempo.

1 Chi ti ha regalato questo bell'orologio?

PARTENZA

Hai 1-2 minuti per raccontare la favola di *Cappuccetto Rosso*.

17 Conosci questo personaggio? Chi è? Perché è importante nella storia d'Italia?

Game instructions on page 191

Edizioni Edilingua

8 — Fai una frase con il pronome relativo *cui*.

9 —  In quale città si trova la famosa Basilica di San Marco?

10 — Come inizieresti un'e-mail formale? E come la chiuderesti?

23 —  Due sport per cui l'Italia è famosa.

24 — Qual è il voto più alto che si può avere ad un esame universitario in Italia?

11 —  Fai almeno due paragoni tra Milano e Napoli e la tua città.

30 — ARRIVO — Parla del caffè in Italia e nel tuo paese: le abitudini sono simili? E i tipi di caffè? Hai 30 secondi di tempo.

25 — Vuoi vendere il tuo miniappartamento di 50 mq: descrivilo a un amico.

12 —  Prenota una camera di albergo. Un tuo compagno / l'insegnante farà la parte del receptionist.

27 —  Un tuo amico è bravo nelle materie scientifiche. Quali facoltà universitarie gli consiglieresti?

26 — Fai una frase sulla storia del tuo Paese usando il passato remoto.

13 — Comparativo e superlativo di *buono* e *cattivo*.

16 — Il passato remoto di *dare*.

15 — Sei stato in un albergo, ma non sei soddisfatto. In un minuto, spiega il perché.

14 —  Il nome di almeno due luoghi o di due monumenti famosi a Roma.

Conosciamo l'Italia:
Lo sport in Italia. The sports most loved and done by Italians.

Authentic material
Audio interview of a gym instructor (D2)
Passage from *Il secondo diario minimo* by Umberto Eco: "Come non parlare di calcio" (E6)

This is a list of the most frequent instructions you will find in the book

abbinate: match

ascoltate: listen

cercate di completare: try to complete/fill in

che cosa notate?: what do you notice?

collegate: connect

commentate: comment

completate: fill in

confermate: check/verify

coniugate al…: conjugate into… / put into…

consultate: see

cosa sapete di… ?: what do you know about… ?

costruite: make

descrivete: describe

discutete (in coppia): discuss (in pairs)

fate delle ipotesi: make hypotheses/speculations

fate il role-play: do the role-play

fate l'abbinamento: do the matching

fate un breve riassunto: write a brief summary

fatevi delle domande: ask each other questions

formate: make

formulate le domande: ask questions

immaginate di essere…: imagine that you are…

indicate/segnate (con una X) le affermazioni corrette/giuste/veramente presenti: indicate/ mark (with an X) the right sentences/the statements

scegliete le affermazioni corrette/giuste/veramente presenti: choose the right sentences/the statements that can be found in the dialogue

inserite: insert

lavorate in coppia/in piccoli gruppi: work in pairs/in small groups

leggete: read

mettete in ordine (cronologico): put in (chronological) order

motivate le vostre risposte: justify your answers

guardate: look

osservate: observe

parlatene in coppia: discuss in pairs

prendete appunti: take notes

raccontate: narrate

riascoltate: listen again

ricostruite il dialogo: put the dialogue in the right order

riferite/riferisci alla classe: tell the class

risolvete il cruciverba: solve the crossword puzzle

rispondete (oralmente/per iscritto): answer (orally/in writing)

scambiatevi idee/opinioni: exchange ideas/opinions

scoprite: find

scrivete: write

siete soddisfatti?: how did you do?

sottolineate: underline

spiegate (brevemente): (briefly) explain

trasformate (oralmente) le frasi: (orally) transform the sentences

verificate le vostre risposte: check/verify your answers

Interactive CD-ROM

This innovative multimedia support completes and enriches *The Italian Project 2*, making up a truly useful aid for students. It offers many additional practice hours to those who wish to study in an active and motivating way. The clear and pleasant interface makes it super easy to use.

After a brief installation (see below) the **home page** will open. This is what you need to know:

Based mainly on the textbook units, but with many differences... which you can discover!

Totally new activities, not only grammar, but also listening, vocabulary, communicative elements, games...

All communicative elements (dialogues and activities) are for free study.

Grammar tables for fast consultation.

Civilization passages with activities and links to connect to the Internet!

All of the book's audio CD recordings are to be listened to freely at home.

You can improve your pronunciation by recording and listening to your voice.

Suggestions and answers to possible questions and doubts about CD-ROM use.

The tools allow you to choose the colours and modify the audio volume.

In the report card you can find and print the results of all the activities you have done.

These **commands** are on every window. Their meaning is easy to understand:

torna indietro
back

pagina centrale
home page

con o senza audio
audio on/off

play/pause

vai avanti
forward

valutazione dell'attività e soluzioni
evaluation and solutions

strumenti
tools

aiuto
help

ripeti l'attività
repeat

Buon lavoro e buon divertimento!

Installazione: Inserire il CD-ROM nel lettore; fare doppio clic su My computer, sul lettore CD e infine su *setup.exe*; dare tutte le informazioni che chiede il programma e cliccare sempre su next/avanti. **Per avviare il programma**: Inserire sempre il CD-ROM nel lettore CD; cliccare sull'icona creata sul desktop, oppure andare a Start, selezionare Programs e cliccare su Progetto italiano 2. **Requisiti minimi**: Processore Pentium III, lettore CD 16x, scheda audio, 128 MB di RAM, grafica 800x600, 300 MB sul disco fisso, altoparlanti o cuffie. Compatibilità con Windows e Macintosh.

Installation: Insert the CD-ROM in the drive; double click on My computer, then on the CD drive and finally on *setup.exe*; give all the required information and click on next/avanti. **To start the program**: Always insert the CD-ROM in the drive; click on the desktop icon created during the installation or go to Start, select programs and click on Progetto italiano 2. **Minimal system requirements**: Processor Pentium III, CD-ROM drive 16x, sound card, 128 MB RAM, 800x600 or higher screen resolution, 300 MB free hard disk, speakers or headphones. Compatible with Windows and Macintosh.

Index of Audio CD 1

Con il simbolo 9 si indica il numero della traccia così come sarà visualizzato dal lettore CD, una volta inserito il disco. Con "Traccia **39**" si indicano i dialoghi e i brani di comprensione orale che nel *Libro dello studente* e nel *Quaderno degli esercizi* sono contrassegnati dal simbolo 39 🎧

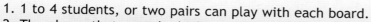

Game instructions

Materials needed: the 30-square board, a dice and a token for each player (for example, a coin).

1. 1 to 4 students, or two pairs can play with each board.
2. The player that gets the higher number by rolling the dice starts first.
3. The player that arrives first to square 30 wins.
4. Each player rolls the dice and moves his token a number of squares on the board as specified by the dice. He reads and does the activity indicated in the square he landed on.
5. If the player does the exercise correctly he can stay at the square (or go to the indicated one). If he fails the answer, he moves back to the previous square. In both cases the turn passes to the other player.
6. To win, it's necessary to reach square 30 with an exact dice roll. If the player with his dice roll goes past the last square, he has to go back one square for each point in excess (for example if I am at square 28 and my dice roll is 6, I reach square 30 and then back to square 26).

edizioni Edilingua

Nuovo Progetto italiano 1 T. Marin - S. Magnelli
Corso multimediale di lingua e civiltà italiana
Livello elementare

Nuovo Progetto italiano 2 T. Marin - S. Magnelli
Corso multimediale di lingua e civiltà italiana
Livello intermedio

Nuovo Progetto italiano 3 T. Marin
Corso multimediale di lingua e civiltà italiana
Livello intermedio - avanzato

Nuovo Progetto italiano Video 1, 2
T. Marin - M. Dominici
Videocorso di lingua e civiltà italiana
Livello elementare - intermedio

Progetto italiano Junior 1, 2, 3
T. Marin - A. Albano
Corso multimediale di lingua e civiltà italiana
Livello elementare - intermedio (A1, A2, B1)

Allegro 1 L. Toffolo - N. Nuti
Corso multimediale d'italiano. Livello elementare

That's Allegro 1 L. Toffolo - N. Nuti
An Italian course for English speakers
Elementary level

Allegro 1 A. Mandelli - N. Nuti
Esercizi supplementari e test di autocontrollo
Livello elementare

Allegro 2 L. Toffolo - M. G. Tommasini
Corso multimediale d'italiano
Livello preintermedio

Allegro 3 L. Toffolo - R. Merklinghaus
Corso multimediale d'italiano. Livello intermedio

La Prova orale 1, 2 T. Marin
Manuale di conversazione.
Livello elementare - intermedio - avanzato

Vocabolario Visuale T. Marin
Livello elementare - preintermedio

Vocabolario Visuale - Quaderno degli esercizi
T. Marin. Attività sul lessico
Livello elementare - preintermedio

Diploma di lingua italiana A. Moni - M. A. Rapacciuolo. Preparazione alle prove d'esame

Sapore d'Italia M. Zurula
Antologia di testi. Livello medio

Primo Ascolto T. Marin
Materiale per lo sviluppo della comprensione orale
Livello elementare

Ascolto Medio T. Marin
Materiale per lo sviluppo della comprensione orale
Livello medio

Ascolto Avanzato T. Marin
Materiale per lo sviluppo della comprensione orale
Livello superiore

Scriviamo! A. Moni
Attività per lo sviluppo dell'abilità di scrittura
Livello elementare - intermedio

Al circo! B. Beutelspacher
Italiano per bambini. Livello elementare

Forte! 1, 2, 3 L. Maddii - M. C. Borgogni
Corso di lingua italiana per bambini (6-11 anni)
Livello elementare

Collana Raccontimmagini S. Servetti
Prime letture in italiano. Livello elementare

Via della Grammatica M. Ricci
Livello elementare - intermedio

Una grammatica italiana per tutti 1, 2
A. Latino - M. Muscolino
Livello elementare - intermedio

I verbi italiani per tutti R. Ryder
Livello elementare - intermedio - avanzato

Raccontare il Novecento
P. Brogini - A. Filippone - A. Muzzi
Percorsi didattici nella letteratura italiana
Livello intermedio - avanzato

Invito a teatro L. Alessio - A. Sgaglione
Testi teatrali per l'insegnamento dell'italiano a
stranieri. Livello intermedio - avanzato

Mosaico Italia M. De Biasio - P. Garofalo
Percorsi nella cultura e nella civiltà italiana
Livello intermedio - avanzato

Collana l'Italia è cultura M. A. Cernigliaro
Collana in 5 fascicoli: Storia, Letteratura,
Geografia, Arte, Musica, cinema e teatro

Collana Primiracconti
Letture graduate per stranieri
Traffico in centro (A1-A2) M. Dominici
Mistero in Via dei Tulipani (A1-A2) C. Medaglia
Un giorno diverso (A2-B1) M. Dominici
Il manoscritto di Giotto (A2-B1) F. Oddo
Lo straniero (A2-B1) M. Dominici
Il sosia (C1-C2) M. Dominici

Collana Cinema Italia A. Serio - E. Meloni
Attività didattiche per stranieri.
Io non ho paura - Il ladro di bambini (B2-C1)
Caro diario (A2-B1)

Collana Formazione

italiano a stranieri
Rivista quadrimestrale per l'insegnamento
dell'italiano come lingua straniera/seconda

The Italian Project 2a si può integrare con:

Una grammatica italiana per tutti 2,
correda e completa benissimo *The Italian Project 2*, in quanto segue la stessa gradualità grammaticale e lessicale. Il libro è organizzato in una parte teorica, che esamina le strutture della lingua italiana in modo chiaro ma completo, utilizzando un linguaggio semplice e numerosi esempi tratti dalla lingua di ogni giorno, e in una parte pratica, con tanti differenti esercizi con le rispettive chiavi in appendice.

ISBN 978-960-7706-96-6

Collana *Primiracconti*, letture graduate per stranieri.
Un giorno diverso (pre-intermediate, A2-B1),
racconta una giornata indimenticabile di un comune impiegato, Pietro, che un bel giorno decide di voler cambiare completamente vita. Dopo alcuni anni di noiosa routine, Pietro decide di licenziarsi, di aprirsi alla vita e di godersi nuovamente la giornata, facendo colazione al bar, camminando per Roma, prendendo l'autobus, affrontando spiacevoli imprevisti, facendo spese. È proprio in un negozio di abbigliamento che conosce Cinzia...
Un giorno diverso, disponibile con o senza CD audio, contiene una sezione con stimolanti attività e le rispettive chiavi in appendice.

ISBN Libro 978-960-6632-19-8
ISBN Libro + CD 978-960-693-000-3

Undici Racconti,
ispirandosi alle situazioni di *The Italian Project 2*, approfondisce gli argomenti trattati nel manuale e ne reimpiega il lessico. Ciascun raccontino presenta un utile mini-glossario a piè di pagina ed è accompagnato da alcune attività con relative chiavi.

ISBN 978-960-6632-34-1

Ascolto medio,
attraverso un apprendimento piacevole e stimolante, consente allo studente di migliorare la propria abilità di ascolto e di prepararsi alla prova di comprensione orale degli esami di certificazione.
Il *Libro dello studente*, con CD audio allegato, contiene 24 testi, di cui 16 brani autentici, accuratamente selezionati da programmi televisivi e radiofonici (interviste, fatti di cronaca, conversazioni telefoniche, ricette, servizi sulla cultura ecc.). Lo studente ha così la possibilità di entrare in contatto non solo con la lingua viva, ma anche con la realtà italiana. Tutti i testi sono corredati da esercitazioni a scelta multipla, completamento, vero/falso.

ISBN 978-960-7706-43-0

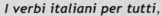

ISBN 978-960-7706-76-8

I verbi italiani per tutti,

raccoglie un centinaio di verbi tra quelli più frequenti e utilizza un approccio "multimediale". Di ciascun verbo viene data la coniugazione di tutti i tempi e i modi verbali, facilmente distinguibili in due tabelle colorate; un'immagine che descrive l'azione espressa dal verbo in uno specifico contesto e la possibilità di ascoltare la pronuncia (online) della coniugazione.

Una ricca Appendice con ulteriori verbi irregolari, una sezione sulle reggenze verbali e un glossario plurilingue (inglese, francese, spagnolo, portoghese e cinese) completano il volume.

Collana *Primiracconti*, letture graduate per stranieri.

Il manoscritto di Giotto (pre-intermediate, A2-B1),

Chi ha rubato il manoscritto? Il furto di un'opera di inestimabile valore, un trattato sulla pittura che rivela anche un segreto legato al grande artista Giotto, scuote la vita dei giovani protagonisti della storia: il colpevole è uno di loro? Così sembra pensare la polizia e così sembrano confermare le prove. Solo l'amicizia che lega i ragazzi tra loro e le attente indagini del commissario Paola Giorgi risolveranno il mistero.

Il manoscritto di Giotto, disponibile con o senza CD audio, contiene una sezione con stimolanti attività e le rispettive chiavi in appendice.

ISBN Libro 978-960-693-017-1
ISBN Libro + CD 978-960-693-014-0

ISBN 978-960-7706-25-6

La Prova Orale 2,

si rivolge a tutti gli studenti che si preparano ad affrontare la prova orale delle varie certificazioni di lingua italiana. La conversazione trae continuamente spunto da materiale autentico (fotografie, grafici, tabelle, articoli di giornali, testi letterari, massime), compiti comunicativi e preziose domande che motivano e stimolano gli studenti. Un glossario li aiuta a prepararsi per la discussione. Il libro è stato studiato in modo da poter esser inserito in curricoli didattici diversi.

Le Attività online,

attraverso siti sicuri e controllati periodicamente, propongono motivanti esercitazioni che accompagnano lo studente alla scoperta di un'immagine più viva e dinamica della cultura e della società italiana. Le attività proposte si possono svolgere individualmente, in coppia o in gruppo e stimolano la partecipazione, la collaborazione e la produzione orale.

Edizioni Edilingua - Mozilla Firefox

File Edit View History Bookmarks Tools Help

http://www.edlingua.it/progetto

Most Visited   Getting Started   Latest Headlines

Edizioni Edilingua   Edizioni Edilingua

Edizioni Edilingua - Roma

catalogo   novità   ordinare   per insegnanti   chi siamo

English version

Ricerca: OK

contattaci

consigli e suggerimenti

carrello

il tuo account

condizioni di uso

F.A.Q.

Unità 5

Mantenersi sani

1. Visita il sito http://www.morfeodormiresano.it e scopri come dormi! Sempre nello stesso sito, cerca le seguenti informazioni:

a. Quanti italiani soffrono di insonnia?
b. Scegli almeno tre consigli utili contro l'insonnia.

Conosci qualcuno che ha problemi a dormire? Vai nella sezione dei giochi e manda una cartolina personalizzata ad un amico... insonne. http://www.morfeodormiresano.it/areapubblica/aree/giochi/ecards/card.asp

2. Sai che cos'è la dieta mediterranea? Clicca sulla parola e fai il quiz: mangi davvero in maniera equilibrata?

Sport italiano

3. Vai al sito http://www.olimpiadi.it/home.html e cerca le seguenti informazioni:

a. Quante medaglie ha vinto l'Italia nell'ultima edizione dei giochi olimpici?
b. Cerca informazioni su questi tre grandi campioni italiani nella storia delle

Olimpiadi: Pietro Mennea; Sara Simeoni; Jury Chechi. Cosa hanno fatto per entrare nell' "Olimpo" dello sport mondiale? Per ognuno di questi campioni, cerca almeno due aggettivi per descrivere il loro carattere.

4. Vai al sito http://www.lega-calcio.it/ e fai le seguenti ricerche:

a. Quante squadre partecipano al campionato italiano di serie A?